CW00408710

Éric Holder est passé maître dans l'art du roman bref, brillant et ciselé. Après *La Baïne*, *Bella Ciao* et *La Saison des Bijoux*, il installe pour la quatrième fois son chevalet et sa palette dans ce Sud-Ouest où il vit.

Éric Holder

LA BELLE N'A PAS SOMMEIL

ROMAN

Éditions du Seuil

TEXTE INTÉGRAL

ISBN 978-2-7578-7518-6
(ISBN 978-2-02-136332-6, 1re publication)

1

Supposons qu'en été, fatigué de la plage, ou bien en hiver, coincé sur la presqu'île battue par la pluie, vous décidiez de visiter un endroit insolite dont on vous a parlé. Au milieu de la forêt, une librairie d'occasion, une bouquinerie dont les bacs, à l'entrée, semblent n'attirer la convoitise que des chevreuils, des corbeaux. On vous en aura parlé puisqu'aucune indication ne la signale, aucune publicité, pas de panneau.

Il s'agit d'une fermette basse, disposée en L. L'intérieur, refait à neuf, procure le sentiment d'arriver en plein match derrière les tribunes ou au-dessus des gradins. Des milliers de livres montrent leur dos, du sol au plafond, tandis que des échelles figurent les allées centrales.

Deux fenêtres donnent depuis l'entrée, de ce côté du bâtiment, sur une grande portion de lande, une friche revenue à l'état de nature, et qu'un tracteur tond deux fois l'an. Puis c'est la lisière de bois noirs sous les écailles vertes que le vent écarte. De hauts chênes semblent y monter la garde, bras croisés.

Plus loin s'enchevêtre la végétation caractéristique des terres humides et sableuses, saules, acacias, fougères, entre des périodes d'arbres bientôt indistincts à force d'être emmêlés. On les nomme « chablis ». Sous le fouet des branches basses, des chasseurs y perdent leur chien dans l'eau qui monte jusqu'aux genoux.

Cependant vous avez décidé d'y aller. Ce sera l'occasion d'une promenade à bicyclette, en voiture… Peut-être afin de dénicher une belle édition, un grimoire, un ouvrage peu connu, ou bien pour retrouver des titres sous des couvertures naguère familières – « Alice », « Les Six Compagnons » en Hachette Bibliothèque verte. Au fait, si nous emmenions les enfants ? Venez par ici, bande de loustics. Ça vous sortirait.

À moins que vous vouliez simplement satisfaire votre curiosité. Ceux qui la connaissent se targuent d'y avoir été, prennent des mines d'explorateurs. Est-ce qu'elle existe, au moins, cette bouquinerie ?

Le cœur de la presqu'île, non content de verdir et de s'épaissir à mesure qu'on y avance, présente, généreux, de plus en plus de chemins pour tâcher de s'en sortir. Peu comportent d'indications, à quoi, à qui bon ? Qui renseigner par ici ? Quel étranger s'aventurerait, porteur d'une fragile adresse, dans ce delta, un réseau de *crastes* – mi-fossés, mi-canaux – que recouvre mal, à cette heure, celui des GPS ?

Les seuls personnages dans le paysage, comme sur les gravures du XVIIe siècle, sont incarnés par des ouvriers isolés de loin en loin, penchés au-dessus de la vigne.

– Allez donc voir à la mairie, si elle est ouverte. Ils sauront vous dire là-bas…

Que la grange aux livres n'existe pas, ou alors pas à leur connaissance, ou alors pas trop.

– Comment ça, « pas trop » ?

– Eh bien, pas officiellement. Aucune publicité, pas de panneau. Antoine vit en ermite.

– Vous pouvez m'indiquer comment y aller ?

– Peut-être, si je tenais le volant… Vous avez quoi comme voiture ? Je plaisante. Pas de carte détaillée non plus ? (Elle se tourne vers sa collègue.) Tu pourrais indiquer, toi, vers le palud de la Madègne… ?

– Y aller, peut-être. Mais pour expliquer, houla ma pauvre ! Tu tournes quinze fois à gauche et quinze fois à droite. Va-t'en les détailler sans te tromper d'une !

On songe enfin à téléphoner. On va l'appeler, cet Antoine, on va lui dire ce qu'on en pense, de sa technique de vente, là, en direct, depuis les locaux de la mairie, où les secrétaires ne sont pas loin de partager l'avis du vacancier, une boutique introuvable, n'est-ce pas anticommercial ? Absurde ?

– Vous voulez bien me donner son numéro ? Cela ne servirait à rien, personne ne peut le joindre ? C'est la meilleure… Il possède bien un numéro de portable, non ?

Mon abonnement, peu cher, n'est pas adapté. Pour capter, je dois prendre mon vélo, pédaler quelques minutes avant d'atteindre un pylône sous le fil qui chante. L'opération n'a pas lieu tous les jours, souvent par distraction.

Au moins la moitié des aventuriers abandonnent le projet sous les yeux des employées impuissantes, de l'autre côté du guichet. Dans la vente, être si peu commerçant… Un magasin inaccessible, je rêve ! Ou alors il se fout du monde, c'est-à-dire du public. Et dans ce cas-là, nous avons tous tendance à nous prendre pour le public… Faudrait voir à pas nous la faire à l'envers !

D'autres impétrants ne s'arrêtent pas là et continuent leurs investigations. Le nombre restera inconnu, hélas, de ceux dont l'aventure a mal fini. Du récit des opiniâtres qui touchent enfin au port, il ressort que le pays veuille à tout prix retenir le client.

On s'embourbe, on s'ensable, on abandonne son véhicule quand ce n'est pas un sanglier, un chevreuil qui l'a immobilisé. Du côté des cyclistes, on évoque surtout les chiens que des colons barbelés, récemment installés, n'hésitent pas à lâcher…

Bref, ça se mérite. On est bien content d'avoir trouvé. Venez voir, les enfants. On dirait la maison de la fée Tartine, si, au lieu de sucre, ce n'étaient des bouquins… Même les tabourets, les meubles, les abat-jour sont en livres.

On étouffe un peu. C'est quoi, cette lumière au bout ? La ravissante terrasse ! Avec son platane centenaire, une treille de glycine qui veille sur une tribu de chaises dépareillées, en dessous d'elle, de fauteuils, de transats, de tables de bistrot…

C'est charmant, on a envie de trouver dans l'ordre un siège et de quoi lire. Ah, c'est le but ? Si je préfère du thé, du café ou de l'eau ? Je suis un peu embarrassée… Euh, comment dire, c'est gratuit ?

Par ici les enfants ! Pour vous, monsieur propose, c'est sympa, du Coca ou du jus d'orange. Ouf, ça fait du bien de s'asseoir. Vous ne devez pas avoir beaucoup de clients, dites donc…

Je tiens de l'un d'eux l'histoire du bouquiniste au Panama. Le métier, là-bas, n'est pas si répandu – et la qualité, semble-t-il, de son stock est telle – que ce bouquiniste ne vaille le détour, ou plutôt l'ascension. Car le bougre a choisi, plutôt que la capitale, d'aller s'établir à plus de deux mille mètres, dans la province de Chiriquí.

Des nouvelles récentes nous apprennent qu'il a quitté son nid d'aigle pour le village en dessous, *son chien ne supportant plus l'altitude*. Chacun son modèle, son héros. Le mien habite la province de Chiriquí.

Songe-t-il, lui aussi, comme dans les contes chinois, à échanger sa place contre une en France, dans le Sud-Ouest, non loin de l'océan, à la fin de l'été ? Septembre, qui a fait grincer le portail de l'école, n'est plus qu'à quelques jours de se refermer dans un claquement de portières, celui de la plupart des clients. Pour certains, le lieu est devenu de pèlerinage. Ils reviendront l'an prochain.

Trois jours inattendus de vent froid ont jeté sous la treille les premières feuilles mortes en forme de pétales pour la glycine, de mains ouvertes pour le platane, que le bouquiniste, à l'aide d'un balai fabriqué au Sichuan – don de Mme Wong –, ne ramasse pas sans mélancolie.

Le terme de « client » rend mal compte d'une relation intime, érudite, passionnée, parfois obsédante… On m'associera peut-être aux vacances, à la bicyclette, aux couchers de soleil dans le parfum balsamique des pins. Eux ignorent à quel point ils me manqueront.

La peau se rapproche un peu du squelette durant cette période. Les routes au loin ont tendance à se taire, c'est pour mieux entendre les vagues qui dévorent la côte, le grondement, par-delà la forêt, de milliers de buffles écumants qui broutent le rivage, attaquent les dunes, défoncent le ciment, une perpétuelle basse à laquelle des coefficients élevés ajoutent, certains jours, des fréquences supersoniques.

Il conviendrait, ces jours-là, de s'évader, d'aller à Bordeaux, par exemple, ou bien sur l'autre rive, en Charente. Hélas, en guise de véhicule, hormis un vélo, je ne possède qu'une camionnette, d'une jolie couleur lilas, certes, cependant sujette à des avaries successives. Naguère l'embrayage, avant-hier les freins, aujourd'hui une fuite d'huile…

« Tu maigriras jusqu'aux os », répète l'hiver dans un souffle, éparpillant comme dans une mauvaise blague le tas de feuilles qu'il faut à nouveau recueillir. On entend, pas si lointaine, la tronçonneuse de Jean-Louis – ici, où on les reconnaît à leur cadence, on sait la machine de Jean-Louis autoritaire, impatiente, tempétueuse.

Le géant qui la tient à bout de bras, lorsque nous nous croisons sur le chemin ou ailleurs, ne peut réprimer une grimace de dégoût quand il m'aperçoit. L'humanité, selon lui, serait clairement scindée en deux groupes : les Vaillants et les Inutiles. Nous avons le même âge, la soixantaine. Lui, à force de travail, a su faire prospérer un domaine maintenant immense. J'entre, avec ma camionnette hors d'usage et tous ces livres dont il n'a jamais lu un seul, dans la deuxième catégorie.

– Dans la vie, il y a les forts et il y a les faibles, comprends-tu ?

J'ai tâché de lui faire entendre que ce n'était pas si simple, ou bien que le fort devait aider le faible, et non l'enfoncer comme lui, chaque fois qu'il me voit… Peine perdue. Il se débarrasse à bon compte de son complexe culturel. Ce dernier n'étant pas mince, à moins de me fâcher, j'ai signé pour longtemps dans le rôle de l'enclume.

Personne n'apprécie de s'entendre rappeler sa nullité, aussi j'évite de le saluer mais Jean-Louis s'accroche. Il vit seul avec son père. En guise de conversation, il évoque souvent les restaurants où il l'invite, le dimanche. Ce n'est pas sans malice qu'il en détaille les menus, la carte de vins, la ronde des desserts.

Beau métier, bouquiniste à la campagne, mais ne pas craindre d'avoir faim. Ne pas penser aux restaurants, oublier qu'ils existent. Je compterai un client tous les trois ou quatre jours, en moyenne. J'ai de fidèles habitués. Pour l'heure, ils ne me rapporteraient, à eux tous réunis, que de quoi acheter du riz.

Non, si je suis encore en vie, si je continue d'exister dans des conditions, pour moi, inouïes – grande maison, milliers de livres non loin de la forêt, clients étonnants –, c'est à Mme Wong que je le dois.

Lorsque j'avais inauguré, sept ans auparavant, ce bâtiment (le second, presque attenant, de l'autre côté de la terrasse, m'étant réservé), Mme Wong avait figuré parmi les premiers arrivants.

Quand elle était apparue, précédée du bruit décidé de ses talons, on aurait dit une *James Bond girl* liée au malfaisant de l'intrigue, et vêtue de telle façon – robe moulante noire, escarpins, un rang de perles – qu'on aurait pu en une fraction de seconde, le plan suivant, la retrouver dans la même tenue à Paris, à New York ou à Rome. La classe internationale.

Après avoir effleuré des couvertures exposées, elle s'arrêta devant une, en caressa le plat, particulièrement le papier cristal dont, autant que faire se peut, j'enveloppe les livres. Et ne me quittait pas des yeux, qu'elle avait noirs sans fond, réfléchis, intenses.

Peut-être que le volume, à force d'être trituré, allait se transformer en chat du Cheshire. Bienvenue dans le monde merveilleux des bouquinistes à demeure, mon pote. Tu vas voir qu'Alice et compagnie n'étaient pas que des fariboles.

En faisant délicatement crisser le papier, elle demanda :

– C'est vous… ?

Je montrai la table à côté d'elle, avec une lampe éteinte au-dessus de ciseaux, de serre-joints, d'adhésifs.

Il convient ici que j'ouvre une parenthèse avant de m'y rendre, à cette table, victime d'une fatalité sinon inexplicable. J'ai rencontré plusieurs fois des Chinois au cours de ma vie – laquelle, à chacune de ces occasions, au lieu d'aller son train, de bifurquer ou que sais-je, s'est trouvée enrichie d'une branche supplémentaire, d'une autre voie possible, d'un canal d'appoint… Pas des Japonais ou des Vietnamiens : des Chinois. Je précise que je ne parle pas la langue sinon quelques mots.

En allumant la lampe, si j'ignorais encore que Mme Wong, trente-quatre ans, était originaire de Chengdu, capitale du Sichuan, je comprenais en revanche que je n'allais pas lui résister. Elle l'avait senti qui, déjà, montrait la table d'un geste agacé – il faudrait que ce genre de choses aille vite –, avait un geste de dégoût, presque, pour signifier : Montrez-moi ce travail.

Je pris un Giraudoux qui se trouvait au sommet de la pile en attente (*Cantique des cantiques*, pièce en un acte, Grasset, 1938), le dépoussiérai soigneusement à l'aide d'un chiffon, grattai, cette fois avec un papier de verre fin, les résidus incrustés dans la coiffe ; vérifiai, gomme en main, qu'aucun trait de crayon ne subsistait, ancien prix, notations – ou, à l'intérieur des pages, de marque-page, ticket de métro, liste de courses, ordonnance médicale, photo de famille…

Une petite déchirure gâchait le dos, une infime languette que je pus recoller. Enfin je posai le mince volume, quasi une plaquette, dans le coin d'une feuille de papier cristal dont, en quelques coups de ciseaux, après un pliage accompli d'un geste sûr, il se trouva recouvert.

L'opération avait pris plus de temps qu'on n'en met à la lire. Toute impatience, cependant, semblait avoir quitté Mme Wong, laquelle ne pouvait s'empêcher de sourire – un sourire à part elle, ainsi de celui que nous tire, lorsque nous sommes en voyage, tel commerçant égyptien ou sri-lankais occupé à parfaire, avec un grand luxe de soins, l'emballage de l'article que nous venons d'acheter.

Elle porta, quand il fut achevé, *Cantique des cantiques* sous son joli nez.

– Il sent bon, remarqua-t-elle. Une odeur spéciale. Je l'ai sentie en entrant…

– Le bois dans le poêle, l'hiver… De temps en temps, je glisse une bûche d'acacia, un fagot de laurier ou d'eucalyptus, d'autres essences…

Le sourire de Mme Wong s'agrandit. Malgré son maintien, on voit son sang circuler sous sa peau, lorsqu'elle est émue par un idiot.

Vite, elle se reprend, s'empare d'un crayon, se penche au-dessus de la table, dans l'espace éclairé par la lampe. Est-ce qu'on peut penser à un projet ensemble ? J'ai un *deal* à vous proposer, un marché…

Mme Wong est bouquiniste elle-même, enfin, pas seulement… Lithographies, gravures, œuvres d'art… À trente kilomètres d'ici. Question livres, nous ne jouons pas dans la même catégorie. Manier son stock, par hangars, nécessite deux ouvriers philippins et des transpalettes.

Cependant, elle aime la façon dont je *valorise* chaque volume – c'est le terme qu'elle utilise –, et précisément, elle possède une cargaison de volumes à valoriser.

– Comme celui que vous venez de recouvrir, la couverture, très fragile…

Pas tout d'un coup, évidemment, mais on peut essayer pour voir… Par cartons de cinquante que Diego (l'un des deux employés) déposera à la demande.

Nous convenons d'un tarif par volume rechapé, qui a peu évolué depuis. Il reste fixé, pour un long moment semble-t-il, à un euro les quatre livres, le papier cristal demeurant à ma charge.

Avec le temps, la source n'étant pas tarie, j'ai appris à ne plus calculer qu'en wongs, lequel vaut un livre nettoyé, un quatrième d'euro, vingt-cinq cents. Au supermarché, à la poste, chez le coiffeur, partout je lis des prix affichés en wongs, de l'argent à court terme, et qui, quoi que je fasse – y compris travailler comme une brute, la veille de payer l'électricité –, défend de l'accumuler.

C'était ça ou les os blanchis au soleil, je suppose – ça : la branche supplémentaire, l'autre voie possible, le canal d'appoint.

Septembre autorise encore le port des sandales, attendons-nous à quelques belles journées, séparées par de froides lames à reflets bleus, la nuit. Les arbres ébouriffés vont perdre leur plumage, les fougères s'affaisser comme on meurt sur scène, au théâtre. D'autres maisons apparaissent par bribes, par pans de feuillage disparu. Saison où l'on se rend compte de l'existence des voisins, dans le hameau qui se dessine.

Si nous ne nous fréquentons pas davantage, chacun sur son quant-à-soi, au moins savons-nous que nous ne sommes pas les seuls, la saison venue, à fendre du bois, à cueillir des pommes, à tailler le platane. À craindre des tempêtes, à guetter les inondations.

À coller notre nez sur la vitre, aussi, il faut bien le dire. À faire flanelle, à caresser le chat, à peigner la girafe – pour cela, lit-on dans André Frédérique, se munir d'une brosse dans chaque main, puis se laisser glisser le long de son cou… « On n'est pas obligé de fignoler, on n'est pas mieux payé. »

Les panaches à demi couchés de nos cheminées fumant ensemble, les jours de grand froid, tiennent de foyers papous, de campements iroquois. Alentour, les chênes désignés par des lichens blancs se retiennent de mourir. Des vanneaux, des pluviers, des buses se figent sur le pré où ils se sont posés, alourdis par le gel. Entre les troncs dénudés et grinçants, comme en rêve, on surprend un ventre, un pelage, puis une biche qui se rapproche des habitations.

Pour ce que j'ai pu observer, mes voisins ne luttent pas contre l'ennui à force de lire, eux. Les avantages de ce mode de vie ne semblent donc pas réservés qu'aux lecteurs. C'est qu'on se croit souvent unique, à vivre en sauvage. Or, après ces maisons isolées en apparaissent d'autres, un peu plus regroupées, tout aussi distantes. Puis on atteint des villes dont la multitude nous échappe avant d'énumérer à nouveau des pavillons, des châteaux, des cabanes… Toutes ces datchas s'étendent plus loin, dépassent les bornes de la contrée, du pays. Des millions et des millions nous sommes à nous croire solitaires, en retrait, marginaux – à craindre au même moment le manque de chauffage l'hiver prochain, à songer au pot de géranium qu'il convient de rentrer…

Des millions à bouger le moins possible, à nous taire, afin de ne pas déranger le feuilleton de nos microfictions, en ne réclamant qu'une seule chose : la paix, la paix épaisse, confortable, soporifique. Les meilleurs jours, je me persuade que ce sont notre nombre, notre poids, notre silence qui pèsent sur la terre, freinant sa vitesse, la retenant par les cheveux, l'empêchant de tourner follement.

Elle demeure bloquée, pour l'heure, sur la position « été », ainsi qu'en atteste l'oranger dans son pot, dont les feuilles se tendent déjà en se préparant à la chaleur. Je le déplace hors du seuil de la boutique qu'il s'agit d'ouvrir, après avoir balayé devant. Il est neuf heures. Jean-Louis, plus loin, a échangé la *furia* de sa tronçonneuse contre le *potato, potato* d'une machine à fendre les bûches.

Les grandes vitres orientées à l'est distribuent la lumière à profusion, qui éclate sur les tables, rejaillit jusqu'aux plus hauts dictionnaires, aux bibles, aux encyclopédies, les piliers du temple…

Sous l'aplomb de ces derniers, j'utilise le seau, le faubert et la raclette avec un soin, une dévotion de moine, mélangeant le service du lieu et celui de la Littérature, sans cesse lavant son socle, époussetant sa statue.

Je sais que la croyance envers elle n'est qu'une croyance, que tout n'est pas dans les livres, que j'attends comme le messie de lire un texte absolu qui ne viendra jamais. Que la « vraie vie », à rebours du mot de Proust, n'est peut-être pas celle des lecteurs, à en juger par la façon dont elle calcine hautement des illettrés qui l'éprouvent sans *faire tant d'histoires*.

J'ai connu le doute – failli ne plus lire, jamais – puis je l'ai enjambé. Sa noirceur renforce à présent la fermeté avec laquelle j'extirpe certains auteurs lors de « désherbages ». Ceux qui feignaient d'avoir la foi, dehors ! Je les chasse des rayons, non sans leur avoir offert une dernière chance. Je les ouvre, il suffirait de presque rien de leur part, un aveu de faiblesse, ou bien un cri du cœur… La preuve qu'écrire les a sauvés. Mais non, rien, pas le moindre son.

Il y a une justice. Les condamnés, au sortir du cloître, transportés à brouette dans une direction qui sera tue, ne semblent pas s'en être si mal tirés dans l'existence, au moins selon les photos de couverture. Monsieur pose devant sa piscine tandis que le museau de son bolide se profile dans le parc derrière. Madame étincelle, alanguie sur un canapé, yeux, dents, bagues, colliers, en compagnie de son chien préféré. Allons, il est temps d'en finir, vous ne vouliez pas l'éternité en plus ?

Un autel orné, à l'entrée de la bouquinerie, a été conçu en revanche pour l'admiration de quelques volumes, une sorte de « choix du libraire », lequel prétend présenter de vrais, de purs romanciers.

Dans les dix alvéoles où trônent les Justes, en ce moment beaucoup de Jean, Jean Echenoz, Jean Rolin… Frédéric Berthet… Enfin, *Daimler s'en va*, le volume de Berthet, aurait dû s'y trouver… À la place, un vide. Au fond de la niche, gît, vermiculé, l'élastique qui empêchait ses pages d'être feuilletées par des courants d'air. Caramba ! Sapristi ! On me l'a taxé.

Ce genre de constatation fait rater un battement de cœur. Il semble que la vie ne revienne qu'avec lenteur, augmentée d'un ciel obscurci de questions. Un seul individu ? Plusieurs ? C'était le jour ou la nuit ? En dehors des heures ouvrables ?

Oui, car je n'ai vu personne depuis hier, le Berthet y était encore, j'en suis sûr.

Récapitulons : un individu – je ne penche que pour un – s'est introduit la nuit dernière dans la bouquinerie – facile, elle n'était pas fermée. Il ou elle – je n'ai pas déjà d'avis – aurait pu s'emparer de Pléiade, autrement plus coûteux, ou de livres d'art, qui se revendent plus cher… La monnaie, dans la caisse, est intacte. Il semble qu'on n'ait désiré, entre mille, que ce volume précisément, quitte à le dérober, par impécuniosité sans doute.

Est-ce qu'on est venu en repérage auparavant ? Quel être, à notre époque, est assez romantique pour ne voler qu'un bouquin usagé ?

Évidemment, je brûle de savoir qui est ce voleur au goût si voisin, et qui ne me porte pas, au fond, préjudice – sinon qu'il ignore à quel point, au milieu de rien, comme une pierre jetée dans un puits, son geste éveille d'ondes, de conséquences, de flottements.

Fin lettré, certes, mais désobligeant.

2

Lorsque j'ai acquis ces deux corps de bâtiments délabrés, j'ai jeté leurs volets vermoulus et disjoints sans les remplacer. Une ou deux portes, sur six qui donnent à l'extérieur, possédaient des clés de geôlier que malgré leur grande taille, je n'ai pas tardé à égarer. La propriété n'est pas clôturée. S'il me prenait la fantaisie de planter des piquets, de poser du grillage, des verrous, des contrevents, le nombre de wongs, je n'ose imaginer… Par dizaines de milliers. Inutile d'y penser.

Au début, quand je ne savais pas différencier les bruits, autant en provenance des maisons que de la nature environnante, ou des routes plus loin, à l'exception de Jean-Louis aux manettes de divers engins, je pouvais me croire à peu près seul dans le coin.

Oh, les beaux jours ! Les trois étés qui précédèrent l'ouverture du magasin, plutôt que de dormir au milieu des gravats, ou sous les solives bâchées en attente des tuiles, j'allais m'allonger dans le pré, à l'aplomb des constellations, le cygne, l'aigle que l'aube plumait à grands coups, raflant leurs étoiles.

Aux soirs tombants dans les teintes, le velouté, le parfum des pêches – les soirs de Perse –, quand tous les oiseaux s'en donnent à cœur joie dans les branches, toutes les espèces y compris nocturnes, tous les chants poussés au maximum, j'enclenchais Marvin Gaye dans le lecteur, « What's Going On », avant de me déhancher sur la terrasse, des mains caressant le ciel.

Un ancien puits, à côté du platane, voisine avec une auge de pierre autrefois dévolue aux bêtes. Après y avoir déversé des flots d'eau fraîche et limpide, je m'y baigne nu, en rêvant à Gauguin et à Chateaubriand.

L'installation prend du temps et fait un peu de barouf. Il faut attendre que celui-là retombe, se dissipe, avant que le pays reprenne ses droits. Je commence à croiser des promeneurs dans le jardin, pour qui c'était jadis un chemin ; des chasseurs à l'affût, étonnés qu'on les interpelle.

L'un d'eux m'apprend que le terrain, enfoncé en oblique dans la forêt, et largement ouvert sur le ciel, figure « un couloir à grives ». Pourquoi bouleverser les habitudes de personnes qui fréquentent ce paysage depuis trois mille ans ? Qu'elles les conservent, bien sûr.

Se serait-on rapproché après avoir constaté que je n'étais pas le diable, ou suis-je devenu plus attentif ? Je ramasse davantage de traces, canettes, mouchoirs, emballages, à l'orée des bois qui semblent m'appartenir si peu. Après tout, je pourrais considérer que les cèpes dont je retrouve la tige éclatée, béant blanc, étaient ma propriété, ou du moins qu'ils en provenaient.

L'an dernier, sous un bouquet de lauriers, assez près, un campement. Entre deux empreintes de fesses écrasées dans l'herbe, on avait noirci des allumettes, et fumé presque jusqu'au bout deux cigarettes roulées à la main. Je me tins où l'on s'était assis, avec pour unique vue mes corps de bâtiment. Pas de quoi devenir paranoïaque, mais une raison de se sentir parfois observé, ou d'être la proie d'une oppression diffuse.

Dans *Yegg*, ses mémoires de monte-en-l'air, Jack Black – ça sent le pseudo – nous indique : « Un chien à l'intérieur d'une maison où dorment les gens est rédhibitoire pour le cambrioleur et, plus le chien est petit, plus il est rédhibitoire. »

En élever un ? J'y ai songé. Outre que le roquet pour moi aussi serait rédhibitoire, je ne voudrais pas trahir les chats, ou plutôt les chattes, trois, qui règnent sans partage sur le pays, chacune protégeant sa province – une madone noire, une jeune acrobate et la caissière du Grand Café.

Au fond, tant qu'on ne me les vole pas, elles…

Je décide tout de même de parler de « l'affaire Berthet » à Marco, qui doit passer ce soir. Marco est garde champêtre, le type qui, dans les villages, battait autrefois tambour de la part du maire. Il lui tend à présent les feuillets de ses discours, avant de le conduire vers d'autres manifestations. Il surveille, au cimetière, la réduction des os en boîte, l'attribution des concessions. Délivre les certificats de validité des adductions sanitaires. Récupère les animaux déclarés errants. Sécurise la sortie de l'école.

Il n'entre plus dans ses attributions de traquer le braconnier, tant mieux. Marco chasse, lui-même. Dès le service achevé, à « la débauche », comme on la nomme, il part observer les recoins à bécasses, vérifier que le lièvre est toujours au gîte, ou, sur une piste, la fraîcheur, la grosseur, la profondeur des empreintes de sangliers. Les jours de « passage », les jours de pigeons, de palombes, impossible de lui parler, qui lève les yeux toutes les trois secondes, aspiré par le ciel gris dont il espère les reflets bleus, en bandes affolées.

Cela nous aura rapprochés, certainement, de n'être pas du coin, exogènes… Il est né sur un plateau du

Cantal, et mézigue à Montreuil. Nous aurons connu, d'une certaine façon, de semblables enfances, des enfances de solitaires. Marco échappait au foyer familial, à son taux de toxicité, en courant la lande, en habitant la forêt, en observant les animaux. J'ai été le fils imprévu de parents qui se seront disputés, écharpés, poursuivis toute leur vie, et qui ne m'auront pas épargné. Vilaine époque, passons... J'ai trouvé refuge dans la rue et dans la lecture. Le bouquiniste du marché m'a sauvé.

Que ne nous sommes-nous rencontrés autrefois, Marco et moi... Nous aurions construit des cabanes ensemble. Nous nous rattrapons à présent.

Il passe en dehors de son service, et même pendant. J'en sais beaucoup sur un village où je ne mets guère les pieds. Lui s'en extrait en respirant à pleins poumons, assis sur la terrasse. Ici au moins, son cellulaire ne capte pas.

En ce moment, les choses ne vont plus si bien pour lui. Le maire a changé, ce n'est plus le bienfaiteur peu calculateur avec qui il avait l'habitude de travailler.

Le plus récent l'ignore, tout simplement, projetant à part lui de créer une police municipale, de supprimer le métier désuet de mon ami. De nouvelles têtes, également, au bureau, lui ont repris les clés du 4 × 4 – fini, les promenades de shérif – et confié des missions subalternes.

On appelle ça une « mise à l'écart ». Le phénomène semble récurrent. Des visages inconnus, au bureau, sortent eux-mêmes de cinq ans de placard. Il y en a une qui a profité de l'obscurité pour pratiquer de façon intensive la danse et la gym.

– Tu verrais l'avion, laisse tomber, déplore-t-il, les yeux mouillés.

– Alors pour mon voleur, tu me conseilles quoi ?

– Est-ce que tu crois qu'il reviendra ?
– Oui.
– Tu as raison. Vous êtes en train d'établir une relation spéciale, tous les deux, c'est TON voleur… Il ou elle finira par se faire connaître. Tu seras surpris quand tu découvriras qui c'est.
– En attendant je pense à lui vingt fois par heure, c'est trop. Je ne supporte pas l'idée d'être à la merci de je ne sais qui.
– Piège-le. Compte tenu des portes, deux caméras, je peux t'avoir ça… Mais tu ne veux pas de caméra, je suppose. Ah ben voilà, j'avais raison.
– Plus délicat…
– Plus intello, hein ? Qu'est-ce que j'y connais, moi, dans les livres ? T'en prends un bien gros, bien crémeux, tu le places en évidence…
– Et après ?
– Tu le fourres au scorpion, à la mygale, au pinpon, à ce que tu veux…
– Si quelqu'un d'autre l'ouvre ?
– Pinpon Pin n'a jamais tué quelqu'un. Ou bien glisse un mot à l'intérieur : « Je suis sur ta piste, j'aurai ta peau, connard. »
– Si un habitué le trouve ?
– Dors dans la bouquinerie !
Je connais des confrères qui le font. Coucher avec leurs livres. Sauf leur respect, cela m'a toujours paru, symboliquement, la dernière scène du dernier acte. Je n'ignore pas qu'un jour j'y arriverai. J'en recule la date le plus tard possible.
– Je sais ! s'exclame-t-il. Pas pinpon : turlu… Turlu Tutu. Un carillon à l'entrée, il sonne quand tu passes. Tous les commerçants en possèdent. Réglé au maximum, tu devrais l'entendre, la nuit, ou bien dans le jardin, non ?

Jusqu'à présent, pour signaler sa présence, on agitait à l'entrée une cloche qui devient du même coup caduque.

Il jette un coup d'œil alentour :

– Y a de la meuf qui passe, un peu, chez toi ?

Je n'ai pas pu écouter, dans le grand magasin où je l'ai acquis pour quatre-vingts wongs, la sonnerie du carillon, il était sous blister et sans pile. Lorsque j'en installe les deux parties de chaque côté de l'entrée, après avoir enclenché *on*, j'entends crépiter une sonnette de cycliste pressé, ou bien celle de la réception de l'hôtel, entre les mains d'un client impatient, enfin le drelin d'un tiroir-caisse qui ne cesserait de s'ouvrir. C'est ironique et exaspérant.

Le voleur est venu quand je dormais ? Je décide de n'activer le drelin que la nuit. Je remplace le Berthet dérobé par un récit du même auteur, *Paris-Berry*, une théorie de poudroiements nonchalants qui oscillent entre Paris et la campagne.

Dans la nôtre, à la mairie du village, les choses vont de mal en pis pour Marco. On ne lui confie quasiment plus de missions. À part le passage clouté, la sortie de l'école… Cela engendre un syndrome, paraît-il, antagoniste du *burn-out* (trop de travail), le *bore-out* (pas assez).

Après avoir vaguement tapé devant un écran, que faire ? Sans compter qu'avec ça, les autres employés vous montrent du doigt, tremblent de vous adresser la parole, ou bien filent rapporter vos états d'âme à la hiérarchie. Marco cesse de se raser tous les jours. Marco songe à prendre un congé maladie.

– Si tu en profitais pour lire ?

– J'ai lu plus de dossiers et de rapports que toi de bouquins. Et ne me parle pas d'écrire. À ce niveau-là, tu peux t'incliner devant l'as des dépositions, j'ai noirci des putains de milliers de pages… Il fonctionne, ton turlu ?

Depuis le haut tabouret où il est juché, le garde champêtre désigne le carillon pour l'heure muet. À côté de lui, un autre tabouret, vide, puis c'est le comptoir, devant, où sont posés nos cafés.

– Jouons la chose autrement, dis-je. Retourne-toi. Entre tous ces bouquins, lequel, peut-être, te donnerait envie de lire ?

– Ça risque de durer un moment…

Seulement une minute passe avant qu'il sorte un volume des rayons, *Des grives aux loups*, de Claude Michelet. Le roman se déroule en Corrèze, Marco vient du Cantal…

– Prends-le.

De la saga des Vialhe à Saint-Libéral, ce premier volume lui plaît. Il l'achève en quelques jours, réclame la suite, *Les palombes ne passeront plus*. Le voir prendre un livre en main, avec délicatesse désormais, rayonne dans mon ventre.

– Les palombes, en réalité, elles ne sont pas là d'arriver… commente-t-il. Faut attendre les premiers froids. La cynégétique est cryogénique, mon pote, autrement dit, la chasse est un sport d'hiver. Tu verrais les meufs, au bureau, elles n'en reviennent pas, que je lise. Ça les attendrit. Il y en a une qui est venue me voir : « Vous ne pouvez pas vous laisser manipuler comme ça, Marco, vous devriez vous tourner vers les syndicats… » Incroyable, non ? À peine tu lis, les gauchistes te foncent dessus…

– Alors, qu'est-ce que tu as répondu ?

– Qu'elle aille au diable. Non mais c'est vrai à la fin, de quoi je me mêle ? Cela dit… Ouais, je vais en parler autour de moi – prendre conseil, savoir mes droits…

3

Le soleil de septembre demeure en tenue d'été, la plus simple. Dans le ciel un nuage esseulé lui tient lieu de maillot. L'herbe devenue blonde, puis brûlée, craque avant de finir en poussière sous le pied. On croise sur les petits chemins des camions de pompiers aux aguets. Les couleurs de l'automne naissent dans des tons assourdis, jaune lichen, marron rouillé, comme si elles avaient connu, plutôt qu'un incendie, son souffle chaud, sous lequel des fougères achèvent de caraméliser.

Près de la terrasse, à l'abri de sa coiffure échevelée, striée de mèches rousses, le platane enfile sa tenue camouflée – vert olive entremêlé d'amande, en taches, en flaques sur le tronc, là où est tombée l'écorce racornie par la sécheresse.

Au loin l'orée des bois, passé la lande fissurée, se dessine plus nettement, creuse davantage en direction d'un monde ignoré, inconnu, tout bruissant de chuchotis, de frôlements, de menaces diffuses. Depuis que j'habite en face, je ne me suis jamais aventuré dans la grande forêt. Des incursions en lisière, j'ai rapporté, on le sait, de quoi alimenter une paranoïa qui ne regarde que moi, la plus petite, la moins chère de la gamme, à usage exclusif et microscopique.

Il m'est arrivé de courir dans les premiers buissons afin de surprendre quelqu'un. La plupart du temps : rien. Mais j'ai débusqué, oui, une fois, un individu – une photographe allemande, d'une soixantaine d'années, qui ne parlait pas un mot de français. Visiblement, je lui avais fait peur, elle portait un short, une veste de savane au-dessus de laquelle pendait un téléobjectif. J'eus à peine le temps de m'excuser, elle s'éclipsa en quelques secondes.

Mais que photographiait-elle ? Des fougères ? Quels coléoptères sur les bois morts ? Je me retournai pour adopter son point de vue quand je l'avais débusquée. D'ici, on ne voyait que la bouquinerie.

La maison la plus proche de la mienne attend son nouveau locataire. La famille qui l'habitait jusque-là a déménagé. Inès, onze ans, est venue me dire au revoir de leur part à tous. Elle portait une longue robe d'un rose passé, ornée à mi-hauteur de sequins dorés, telle que je n'en avais vu que sur sa mère ou sur sa grand-mère, une robe de Rom, de *gipsy*, de gitane.

Celle-là faisait ressortir son petit ventre comme celui d'une infante enceinte. Elle avait posé dessus, pour jouer le rôle, ses deux mains sagement à plat, et baissé le front afin qu'il en émane une pure lumière – vers les tempes, cependant, Inès demeurait trop diaphane, maladive. Et le petit ventre était d'origine.

Je m'étais rendu compte de sa présence deux printemps auparavant, ils venaient d'emménager. Inès, à ce moment-là, avait neuf ans seulement… Son cri, dans le jardin, par-dessus la haie qui nous sépare :

– Ne me touche pas !

Un silence, puis la voix d'un garçon plus âgé qu'elle (en réalité Rudolf, son demi-frère, quinze ans) :

– Allons, viens… Ça se voit que tu en as envie, ça se voit dans tes yeux.

– Ne t'approche pas. Maman a dit que toi et moi, on ne devait plus être ensemble, toi aussi tu l'as entendue, dégage ! Ce que dit maman est sacré.

– Fais pas tant de manières, je vais te montrer quelque chose.

– Non, je ne veux pas. Recommence et je crie. D'ailleurs, j'entends Tony. (Elle hurle.) Tony ! Appelle maman ! Urgent !

La mère, elle, n'est pas précisément une crevette. À peine surprend-on, quand elle met la main sur son beau-fils, les couinements de plaisir par avance d'Inès et de Tony.

Elle franchit la distance qui les sépare de la maison en grommelant des choses indistinctes, mais qui doivent donner du cœur à l'ouvrage car, sitôt tous rentrés à l'abri des murs, il s'y déchaîne une violente tempête. Cris surhumains, coups de balai, de tringle, de tabouret, et de grands ahans sonores qui précèdent les chocs, avant les hurlements de Rudolf. Cela dure si longtemps, en vrai, qu'après avoir craint pour la petite, on a peur pour le grand.

Il disparaîtra en taxi le lendemain, désormais interdit de séjour.

La deuxième fois que j'ai rencontré Inès, elle consultait mon rayon jeunesse en tenant Tony par la main, Tony qui s'y pendait et bavait un peu. La grand-mère s'était assise sur le canapé attenant, après avoir laissé son tripode à l'entrée. Je ne les avais pas entendus arriver.

J'avais tâché de lier connaissance avec l'ancienne, guère plus âgée que moi, je lui avais proposé un thé, peine perdue. Elle s'obstinait à bafouiller vaguement, absente au monde, citant parfois plus haut, comme une excuse, le nom de « Neimer ».

– Alzheimer, confirma Inès. Mais si vous voulez lui dire quelque chose, vous pouvez me parler. Moi, elle m'écoute.

Elle avait tiré ses cheveux ternes et mi-longs en arrière, dégageant ce front qui pensait pour tout le reste de la famille – car on attendait là-bas, en dernier recours, le fruit de la réflexion d'Inès. Avec une certaine forme de sagesse, semblait-il.

Des titres l'intéressaient, dans la série « Chair de poule », notamment *Le Loup-garou des marécages*, de R. L. Stine.

Nous vivons au milieu du bayou.

– Tu ne crains pas d'avoir peur ? j'ai demandé.

– M'en faut un max, j'adore !

Soudain rembrunie :

– Et puis sinon, je choisirais un autre livre, non ?

À ce propos, elle possédait des Bibliothèque rose qu'elle ne lisait plus, est-ce que nous pouvions convenir d'un échange ? Trois pour un par exemple ?

– Amène toujours…

Quand ils furent partis, je m'aperçus qu'il manquait une poignée de bandes dessinées, exactement une poignée, un trou dans le rayon comme une dent absente, on n'avait même pas pris le soin de brouiller l'étalage.

Inès revint dès l'ouverture, le lendemain. Elle acheminait sur un côté une brouette d'imprimés, tandis que Tony dérapait de l'autre. Elle avait dû convaincre de bonnes âmes – outre quelques Bibliothèque rose, elle poussait une bonne centaine de volumes qui provenaient de fonds divers.

Nous les étalâmes devant nous, assis sur le canapé. Il y en avait d'amusants, d'autres moins, des que j'avais déjà... Nous nous mîmes à établir, crayon en main, un barème, un avoir basé sur le wong, à partir duquel déduire ses prochains achats.

L'intérêt, avec le wong, c'est qu'il grimpe quatre fois plus vite que l'euro. Inès battait des mains, criant d'excitation à mesure que la somme augmentait. Ce fut alors que je me rendis compte de l'absence de Tony. Comme je lui en faisais part, elle eut un geste évasif. Il manquait à nouveau, très visible, un petit poing qui avait dû s'élargir pour prendre autant de bandes dessinées.

– À Tony aussi, tu traduis ?

Elle me regarda intensément, pareil que si j'avais percé un secret, avant de cligner des paupières, dans un signe affirmatif.

– Dis-lui que ce n'est pas bien, de voler. On ne pourra plus faire d'affaires ensemble.

– Mais tout le temps je lui dis ! Il ne peut pas s'en empêcher...

– Trouve une solution.

Voilà que moi aussi, au lieu de prendre une décision, je lui demandais de réfléchir – à elle, neuf ans ! Je signai néanmoins sur un parchemin orné d'une sirène Walt Disney, que je lui étais redevable d'un magot substantiel. Déjà elle l'écornait, choisissant une publication pour chaque membre de sa famille – dont un « Astérix » pour Tony.

La maman ressemble à une ourse des Carpates, mêmes petits yeux enfoncés, semblable format, des poils sous les pommettes. Ce matin-là, renforçant cette impression, elle portait une faveur rose au sommet du crâne et marchait à côté d'Inès comme si elle avait tenu entre ses pattes et ses chaussons un minuscule vélo.

J'installais à l'entrée, sur leurs tréteaux, les bacs de volumes à prix réduits. Le soleil promettait. La maman vint droit sur moi :

– Kééna à dire ? Mon fils… Voleur, hein ?

De près, dans la même catégorie, plutôt le grizzly. On lui avait donné un biscuit afin qu'elle se tienne tranquille durant le trajet. Elle en postillonnait à présent les miettes.

– Tu peux traduire ? demandai-je à Inès.

– Maman est désolée pour ce qui a eu lieu avec Tony. Maman tient à payer les bandes dessinées. Combien il en a pris ?

– Cinq, sous-estimai-je.

Sa génitrice, ayant passé une main par l'encolure de son pull, semblait se gratter sous l'aisselle – cherchait en réalité un billet dans son soutien-gorge.

– Combien en tout ? demanda Inès, s'offrant un petit air de princesse.

– Dix euros.

– C'est encore trop, me persuada-t-elle, les yeux profondément vissés dans les miens. Maman est venue… Il faut faire un effort de ton côté.

En aucune façon Inès n'avait, cette fois, traduit sa mère. Cette dernière approuvait en silence, à l'arrière-plan.

– Huit, ça va ? proposai-je.

Elle me tendit le billet de dix en souriant perfidement.

– Est-ce que vous avez la monnaie ?

Elle vient sans Tony, dorénavant, sans personne, de son propre chef. Je mets de côté, à son intention, des magazines pour enfants, des *Picsou Parade*, des mangas, des illustrés trouvés dans des cartons, soi-disant invendables. Toute la famille en est friande avant de les jeter, absolument comme des os de poulet, nos poubelles donnent sur le même trottoir.

La plupart du temps, je n'entends pas qu'elle est entrée. Je la trouve mains dans le dos, qui contemple les titres. Ou bien je la repère à son marmonnement. Lorsqu'elle lit, elle ne peut se retenir de « former les mots ».

– Lis carrément à voix haute…

– C'est ce que je fais avec maman.

– Ne te gêne pas pour moi.

Nous découvrîmes ensemble Boileau-Narcejac, *Sans-Atout contre l'homme à la dague*. Inès récitait sur un seul ton, cependant sans interruption, qu'elle comprenne ou non – et formait *benissimo* les mots. J'œuvrais durant ce temps à étoffer le stock, par hangars, de l'Extrême-Orient.

Je lui mis entre les mains le poète Henri Michaux, pour voir – ils allèrent bien ensemble. Elle calait, en revanche, dans les énigmes de René Char. Pour ne pas la perdre, je lui présentai Jacques Prévert. Elle lui sauta au cou.

Lorsque des clients pénétraient dans la boutique, la « petite fille » se réfugiait dans un coin d'ombre sans les quitter des yeux – leur tournant le dos à une vitesse d'oiseau, une fraction de seconde avant qu'ils la remarquent, feignant de feuilleter un volume.

Après leur départ, s'animant comme rarement, Inès les installait sous le microscope, recensait des détails qui m'avaient échappé, émettait tout à coup des hypothèses surprenantes, mais assez vérifiables, futées, malines, toutes qualités dont on ne se rendait compte qu'après coup, sur l'air de « Pourquoi je n'y ai pas pensé tout seul ? ».

Il arrive souvent, chez eux, que le conseil de famille se tienne dehors. On installe pour la grand-mère une chaise sous l'arbre. La voix du père, aussi forte que celle de la mère, n'autorise pas davantage, hélas, à comprendre une ratatouille de mots. Quant à Tony, il s'exprime fort bien, de façon claire, précise. La haie me cache un enfant complètement différent de celui que je connais.

Toujours un silence s'installe avant qu'Inès donne son avis, un silence tendu, angoissé. La situation de la famille n'est pas facile, elle exige de jongler, de louvoyer, de réfléchir.

On n'entend pas ce que dit l'envoyée spéciale, descendue sur ce bout de terre pour pallier notre absence de jugeote. Elle parle bas, d'un ton pénétrant. Il leur faut un temps avant de comprendre. Enfin ils manifestent un enthousiasme tel, grand-mère comprise, qu'on aimerait parfois y participer.

C'est elle qui m'a appris qu'ils étaient obligés de déménager. Pas plus de détails, mais enfin : contraints, forcés.

– Ça n'a pas l'air de t'inquiéter, vous avez une piste ?

– Ouais, on se fait chier à louer. L'idée, c'est d'acheter.

– Il convient d'avoir de l'argent avant d'acheter…

Elle me regarde comme si c'était moi le petit, l'enfant – attendrie que je partage encore une fable, ce n'est pas le moment de me dire l'affreuse vérité, d'ailleurs la croirais-je jamais ? Et retrouve son masque sévère.

– Tu vas voir qu'*ils* vont y arriver... Ils vont se débrouiller. Je les connais, mes darons, ils iront jusqu'au bout... Et quand ils sont lancés, rien ne les arrête !

À cette heure, ils y sont arrivés.

Depuis ma *beuquette* – ainsi nomme-t-on, dans les Ardennes, la fenêtre au-dessus de l'évier, dans la cuisine –, j'aperçois du hameau l'aubette – ainsi appelle-t-on un abribus. Quelques plaques de tôle ondulée, des parois en rondins, un banc, des arbres protecteurs, suffisent à attirer le soir, la nuit, les veilles de week-end, des ballets de voitures comme phalènes sous le réverbère.

Depuis plusieurs générations, des amoureux se sont connus et retrouvés sous l'aubette. Les rondins attestent de nombreux contrats gravés au couteau, dont certains parents peuvent vérifier la pérennité en déposant leurs enfants. C'est vrai qu'il règne sur le lieu une lumière spéciale, comme tombée d'un trou dans la voûte – privilégiée, précieuse.

Un matin de janvier – froid, gris, brumeux –, alors que j'achève d'allumer le poêle, que je pose la cafetière dessus, je reconnais à travers la fenêtre la silhouette transie d'Inès, frissonnant à l'écart de la cabane où, semble-t-il, les autres poussins se réchauffent.

Après un coup d'œil à l'horloge, vérifiant que j'ai le temps, j'attrape une casserole, du lait, le chocolat qu'elle aime. Je me lance dans le froid. Je lui apporte sur un plateau le bol fumant et le sucre à côté.

– Je ne peux pas accepter, murmure-t-elle rapidement, avant d'abaisser son petit visage, inquiète.

– Pourquoi ?

Je n'ai qu'une idée en tête, la même qui m'a précipité dehors, Inès est peut-être souffrante. Ce n'est qu'à ce moment-là que je me rends compte de la présence des autres élèves, ses contemporains. La plupart ouvrent des yeux ronds. Un petit gros serre les lèvres avec défiance et mépris. Elle confirmera le soir même :

– En repartant, tu avais l'air d'un ogre triste.

– Pas triste, Inès : accablé.

Un autre matin, vers onze heures – à la mi-juillet cette fois, il y a trois mois –, le soleil pénètre à flots dans la bouquinerie par ses sabords ouverts, achevant d'en sécher le pont dans un arôme artificiel d'orange. Le seau, la brosse, le faubert reposent dans un coin. Marco et moi aspirons bruyamment notre dernière goutte de café au-dessus du comptoir, sur la dunette.

Quand une espèce de pirate fend l'air, à l'abordage. Nous dépasse, se ravise. Revient sur ses pas dans des vernis trop grands pour elle. Inès, méconnaissable, est vêtue entièrement de noir, chapeau, veste, lunettes, pantalon dont les jambes remontées laissent apparaître des socquettes blanches.

Elle marque un temps d'arrêt, son CD à la main, en observant Marco. Il porte, lui, le short réglementaire, les rangers de fonction, le polo bleu visible de loin, d'où émerge sa tête de gendarme.

– Vous vous connaissez, j'interviens. Vous vous êtes déjà rencontrés ici.

– De toute façon, en ce moment, je n'arrête pas les petites filles, dit Marco. Je n'ai pas reçu d'ordre dans ce sens.

– Tu peux mettre ça sur ta chaîne ? demande-t-elle en me tendant le CD. Je voulais te montrer le spectacle que j'ai répété pour l'anniversaire de mémé, il y aura beaucoup de monde. Mais je ne sais pas si je vais oser, là, tout de suite…

– C'est à cause de lui ?

– Pourtant j'ai été cool ! s'insurge Marco. Autrefois, les petites filles, j'en coffrais dix par jour ! Rien qu'au pain sec et à l'eau… Allez, c'est bon, je me casse…

Il glisse depuis le haut tabouret, elle ne le retiendra qu'à la porte.

– Après tout, dimanche, il y aura des personnes que je ne connais pas.

Je place le disque dans le lecteur.

« Billie Jean », Michael Jackson. Déjà la façon qu'elle a de passer une main dans ses cheveux, avant d'enfoncer son chapeau, devient un spectacle. J'augmente le son tandis qu'elle vrille sur elle-même, s'immobilise brusquement, les genoux en X, « *She was more like a beauty queen from a movie scene...* »

Tout en dansant, elle enlève son veston, le remet, le montre de face, de profil, en remonte une seule manche, ou bien le col, *Moonwalk*… Elle écrase des mégots sous ses chaussures, roule des épaules comme un chat. « *She told me her name was Billie Jean…* »

Marco et moi n'allons pas au théâtre, ni aux concerts. Soyons clairs, deux ploucs, deux créatures du marais. Cependant, c'est pour nous deux seulement, les misérables, que le soleil se concentre sur Inès dans une représentation inattendue – moins celle de Bambi, maintenant, que de Liza Minnelli ou Björk, éclatant l'instant avant d'en ramasser un morceau, de le brandir au-dessus d'elle.

« *She says I am the one…* » Elle serre les poings, les ramène contre sa poitrine, soudain les détend, du doigt défie le ciel, interpelle la terre. Qu'est-ce qu'Inès nous montre, venu à la fois de plus loin et de plus haut, avant que nous autres, les garçons, retrouvions notre cécité ? Cependant qu'elle, le ban refermé, continuera de le voir, de le savoir.

À peine le morceau s'achève-t-il qu'elle court sans plus de manières récupérer le disque, nous privant d'applaudissements. Marco essuie ses yeux humides.

– C'est idiot, dit-il. Tu te rends compte, quel âge ça lui fait ?

– Onze ans. Je crois que je suis ému aussi.

– Ouais, ben en attendant, t'as beaucoup de chance…

– Ne va pas t'imaginer que c'est tous les jours…

– J'ai vu beaucoup de choses moins bonnes à la télé. Hé, petite ! crie-t-il par-dessus son épaule. Si j'étais tes parents, je t'inscrirais dans une école de spectacles ou bien…

Il n'a pas le temps d'achever, Inès a déjà disparu.

4

Quand l'avant-garde des nuages est apparue dans le ciel, on a tout de suite vu qu'il s'agissait de méchants, de revanchards. Pas une goutte depuis deux mois, ils allaient corriger la situation vite fait, ce n'était pas pour plaisanter. Derrière eux, l'urgence crépitait en arcs bleuâtres sous le ventre du troupeau – au loin le canon.

La lumière s'est éteinte subitement, la nature retenait son souffle, en apnée. Quand le vent est revenu, fou furieux, il hurlait en se frayant un chemin à coups de gifles. Des milliers de feuilles d'acacia, jaunies ou dorées, périrent à l'instant, jonchant le sol. Les premières gouttes de pluie laissèrent entendre des hésitations de moineau sur un balcon. Quelques secondes plus tard, l'eau tombait par baquets, rejaillissant des gouttières sous pression, noyant le paysage.

Des trois chattes, deux sont rentrées, manque la caissière du Grand Café, raison pour laquelle, dans un sommeil troublé, en attente d'une rafale plus forte que les autres, je rêve d'elle, de sa caisse enregistreuse qui fonctionne sans arrêt. Bientôt le crincrin émane de la sonnette d'un minuscule vélo, actionnée par maman ours qui s'en donne à cœur joie.

Au matin, le vent s'essouffle. La nature rincée, abreuvée, dresse ses branches vers le ciel, *idem* des rameaux qui ont failli brûler. Je retrouve la caissière du Grand Café. Elle était enfermée dans la bouquinerie dont le carillon ne sonne pas lorsque je franchis son rayon, et pour cause, n'en subsiste qu'une moitié. L'autre a été jetée avec rage, semble-t-il, dans le jardin.

J'entre comme si le voleur se cachait encore dans les murs.

Je vois tout de suite qu'il a pris *Paris-Berry*. Comme la première fois, rien d'autre ne manque.

Puisque Marco ne voudra pas l'endosser, j'emprunte le blouson du policier. Plusieurs choses me renseignent dans cette affaire : le bris délibéré de l'alarme (il ne peut plus s'agir d'un ami), le rapport entre le risque encouru et la valeur du larcin – un bouquin, cinq euros. J'imagine un fétichiste coincé dans un schéma que j'ignore, ou bien un geste politique. Un provocateur, c'est sûr, mais assez vicieux pour avoir su profiter de la tempête, et violent au point d'avoir éclaté ma sonnette.

Mon regard a changé envers la caissière du Grand Café. On dirait que le sien est devenu plus mystérieux, plus sphinx à mon endroit, lui qui détient désormais la seule image, plus ou moins suivie d'un coup de tonnerre, de l'irruption de l'intrus.

Le même soir, j'ai rendez-vous avec la boulangère. Marie habite, à l'extérieur du village, une réplique de ces cabanes *tchanquées* qu'on voit au bassin d'Arcachon, une maison de bois un peu coloniale dont les pilots sont fichés en terre plutôt que dans l'eau, et peinte en bleu ciel marin, en bleu de pêcherie écaillé. Je m'y rends à bicyclette. Marie, s'il pleut, me ramènera. Le jaune espagnol du couchant, griffé de lignes noires illisibles, distrait du chemin jusqu'à ce qu'y déboulent, par surprise, de nouvelles bourrasques.

C'est exprès que Marie demeure à l'écart du bourg. Dès le magasin fermé, son temps n'appartient plus qu'à elle, qui le défend farouchement. Ne plus voir personne, ne plus entendre quiconque. En compagnie, elle aussi, de chats, lire des romans contemporains, les annoter, de là passer au journal intime, sa colonne vertébrale, puis aux journaux tout court, qu'elle dépouille avec une grâce nonchalante en croquant des amandes.

La scène se passe au milieu d'un lit rembourré de puissants oreillers, baignée par les lumières successives du jour, du soir, de la lampe de chevet. Je suis le seul, dit-elle, capable de lire aussi longtemps à ses côtés. Le seul à sentir le moment exact où elle commence d'avoir faim – celui de jaillir du campement pour gagner la cuisine, qu'elle aime italienne.

La fenêtre en bois azuré, au-dessus de l'évier, donne sur un pays différent du mien. À seulement quelques kilomètres de distance, le sien dévale en prés-salés, rompus de haies de tamaris, en direction de l'estuaire. Des roselières y flanquent des taches blondes où atterrissent un héron, des aigrettes, un busard. Des porte-containers fantomatiques barrissent derrière l'horizon en saules fragiles.

Lorsque son mari et elle, originaires des Pyrénées, ont repris la boulangerie du bourg, il y a dix-huit ans, ils l'ont considérablement transformée. Un parking devant, une terrasse à côté, des spécialités à midi, sans compter la qualité du pain, des gâteaux, de la viennoiserie… Le sourire de Marie, le savoir-faire de Jean-Pierre… Bientôt, ils engagent du personnel, des apprentis. Un fils leur vient, qu'ils appellent Sacha.

Ils n'arrêtent pas une seconde, tout semble leur réussir, ils s'agrandissent encore, Sacha croît en intelligence, en force, en beauté, jusqu'à un coup de fil de la banque, il y a cinq ans, c'est elle qui le reçoit : « Vous pourriez passer, s'il vous plaît ? »

Là-bas on l'informe que son commerce, qu'elle imaginait prospère, est en réalité miné, menacé par les retraits intempestifs de son époux. Elle apprend à cette occasion que Jean-Pierre, qu'elle croyait connaître, joue en cachette depuis des années. Un flambeur invétéré. À cette heure, il continue de flamber. Un poker dans une chaumière, au milieu de la forêt…

Marie endette sa famille des Pyrénées pour renflouer le bateau, demande et obtient le divorce, Sacha ira au pensionnat, c'était déjà prévu. Elle engage au fournil un chef incompétent tandis que Jean-Pierre disparaît… Il reviendra six mois plus tard, hagard, sans le sou. Le voici rembauché à la place du chef incapable, sous un statut de salarié dans lequel, depuis, il excelle.

Au village, on n'a presque rien su, ou bien on a oublié, on continue de les croire toujours époux : « Et vot'mari, i va bien ? » La boulangère laisse dire, inutile de bousculer les habitudes. La même raison vaut que je cache un peu le vélo lorsque j'arrive à bon port, sous la cabane tchanquée.

Il m'arrive de croiser l'ex-époux de Marie. La plupart du temps, Jean-Pierre s'en grille une dans la ruelle derrière, appuyé au chambranle de la porte de service, près du soupirail à farine – son visage toujours gris, fatigué. On se salue à peine, mais on s'arrête, chacun planté dans les yeux ouverts de l'autre, n'en revenant pas d'avoir été, d'être aimé par la même femme – si différents pourtant, le boulanger, le bouquiniste… Un témoin verrait deux chats se toiser, immobiles, sans animosité. Mais ainsi va la vie en province, elle coule en dessous, qui pourrait la remarquer ?

Pour de semblables raisons, nous évitons, Marie et moi, de nous montrer ensemble. Seule entorse à cette règle, le cinéma, elle adore le cinéma, aussi ne sommes-nous connus que pour écumer en binôme ceux de la presqu'île. Deux amis du septième art, qui se téléphonent chaque fois qu'un bon film débarque dans la région.

Sur l'écran, avant la projection, défilent des publicités datées, des réclames pour des commerces que nous reconnaissons. Des cris, des sifflets saluent l'apparition de visages carrément familiers – le garagiste affairé sous un moteur, la fleuriste souriant sur le seuil de son magasin, l'opticien, la libraire, tous de la ville voisine, une sous-préfecture…

De jeunes spectateurs enthousiastes occupent les premières rangées, des adultes, les suivantes. Les sièges du fond appartiennent aux anciens… Lorsque Marie murmure que pour tout vœu, elle voudrait nous voir tous deux, plus tard, dans ces fauteuils-là, il est difficile de ne pas pouvoir l'étreindre, lui prendre la main, ou le bras.

Je reviens à bicyclette vers minuit, après l'avoir regardée s'endormir. Je me suis tu, plutôt que de la gonfler avec mon histoire de Berthet. Les nuages ont déserté le ciel, cédant la place à des étoiles très pures, tremblotant à travers le vent qui continue de souffler – dans le dos cette fois.

Les trois quarts de la lune éclairent le paysage au point que, relevant la dynamo, j'éteins le phare. Je repérerais les voitures au bruit. Il n'en passe aucune. Entre les rafales, on n'entend que la respiration puissante des arbres, des buissons, des prairies nappées de lait. Parfois un grognement d'animal, comme durant le sommeil, le ronflement d'une effraie, la plainte d'un chat-huant – on la dirait échappée des rêves d'un chien poursuivi.

Un joyeux chambard, en revanche, règne devant la maison à louer qu'ont quittée Inès et sa famille. Des projecteurs de chantier éclairent *a giorno* un fourgon qui diffuse du reggae. Devant lui, un Kangoo attend, portes ouvertes, qu'on vienne le débarrasser de coussins et de tableaux.

Les lumières ont été allumées dans toute la maison, révélant, par les fenêtres, des silhouettes de jeunes gens qui emménagent en faisant gaiement résonner leurs voix dans les pièces vides.

Celle qui s'encadre dans la porte d'entrée, avant d'avancer droit dans ma direction, est indiscutablement féminine, qui retient d'une main, dans un geste gracieux, un chignon de cheveux blonds au-dessus de sa tête. Serait-ce à contre-jour, frappent sa jeunesse, la blancheur de ses dents. Elle possède un sourire franc, éblouissant.

À une altitude que je pourrais égaler si je ne restais pas stupidement vissé sur ma selle, émerge une voix claire, maîtrisée, celle d'Agnès dans *L'École des femmes*, à la Comédie-Française.

– Vous êtes Antoine, le bouquiniste… Je vous ai aperçu la première fois que je suis venue visiter ici, je n'ai pas osé vous déranger. J'ai loué cette maison le temps que maman aille mieux. Je suis venue pour m'occuper d'elle, un cancer du sein. Maman n'habite pas loin, ce sera pratique… Je m'appelle Lorraine.

Elle tend une grande main que j'ai pourtant du mal à trouver, avec la lumière plein pot. Quand je la serre, je rencontre ses iris bleu délavé, des yeux ciel d'Islande, qui luisent intensément, se dérobent tout à coup. Lorraine me tapote familièrement l'épaule, comme à un feignant qui va se dépêcher de rejoindre le peloton.

– On aura très vite l'occasion de se revoir…

Avant d'effectuer un demi-tour et de regagner son logis, où sautent des capsules de bière.

J'entends encore par vagues des échos de la petite fête en me glissant sous la couette. Lorraine… Je me souvenais, en lui parlant, d'une fille appelée Aude, native de Carcassonne – et puis d'une Aube, originaire de Troyes… Je me suis mordu la langue pour ne pas lui demander si elle venait de Metz. À moins que « Sweet Lorraine », la chanson, le thème repris par Sinatra, Nat King Cole…

Pourquoi n'habite-t-elle pas directement chez sa mère ? Ce serait plus simple…

Et puis au fond, qu'est-ce que j'en ai à moudre ?

Chez mes grands-parents bien-aimés, lorsque j'étais petit et que manquaient une chaussette, un bonnet ou un parapluie, nous attribuions le vol à « M. Givenchy ». La chaussette recouvrait maintenant son unique pied – l'autre ayant été remplacé par une jambe de bois, celle que nous pouvions parfois entendre cogner dans le grenier, toc, toc, toc… Le parapluie, il l'avait pris pour s'abriter, cette question, avec toute l'eau qui tombait… Qu'il dérobe le bonnet, ainsi que certaines années, annonçait une période de froid polaire.

Pourquoi M. Givenchy, comme un parfum ? Parce qu'il était subtil, volatil, je suppose, appartenant à la même espèce d'évaporation que « la part des anges »… Je renifle comme un chien truffier alentour du présentoir d'où l'ouvrage a disparu, cela ne sent rien de particulier.

Il n'empêche, d'avoir retrouvé son nom, le malfaiteur en paraît moins opaque.

N'aimer qu'un seul auteur, cambrioler un de ses livres par une nuit d'orage, ne peuvent être que le fait d'un être plus élevé qu'Arsène Lupin : M. Givenchy, avec sa jambe de bois et son parapluie, président des lunettes disparues, maître des chaussettes orphelines.

Dans l'après-midi, le soleil réapparaît, les chattes s'alanguissent sur la terrasse, je reçois la visite de Robert, le dernier client de la saison. La soixantaine passée, un mètre quatre-vingt-dix placide, portant des sandales qu'il pleuve ou qu'il vente, Robert reconstitue patiemment – titre après titre, dans l'édition où il les a lus – la bibliothèque que sa femme l'a forcé de bazarder il y a trente-cinq ans.

Une bibliothèque de science-fiction. Lui manquent encore des volumes dont je possède la liste. Il m'arrive d'en trouver.

Je ne les glisse pas à part ou en réserve, mais dans le rayon public où peut-être, Robert, sont-ils encore, sait-on jamais... Alors Robert se rue sur les ouvrages comme si un djinn, descendu du plafond, le gagnant de vitesse, fonçait sur les mêmes que lui.

Les ayant trouvés, il les contemple longuement à bout de bras, les serre contre sa poitrine en fermant les yeux. Après quoi, heureux, il papillonnera le long des autres sections en tâchant d'engager la conversation. De toute façon, la sienne ne porte que sur un sujet – à ce point, une monomanie –, sa femme.

– À l'heure qu'il est, elle m'attend dans la voiture, eh bien elle va m'attendre longtemps ! promet-il en revenant au comptoir. La grosse vache !

Depuis le temps, nous avons élaboré ensemble plusieurs crimes parfaits visant à le débarrasser d'elle.

Il semble que ce projet constitue pour lui un sujet de discussion privilégié, avec moi comme avec d'autres.

– Pourquoi ne pas engager un tueur ?

– Avec quel pognon ? C'est elle qui le tient !

– Un tueur à crédit ?

– Ça ne sent pas le professionnel, le sans-bavure, vous voyez, le sans-souci…

(Pourvu que madame ne soit pas victime d'un véritable accident.)

Robert sort son portefeuille d'une banane accrochée à la ceinture.

– Mais j'y pense, dit-il, vous ne l'avez jamais vue !

Le referme dans un claquement.

– J'allais vous montrer une photo alors que je tiens l'original. Ah mais ça vaut le coup d'œil, une saleté pareille ! Ça mérite le détour ! Venez donc voir à quoi ressemble le bestiau.

– Je ne sais pas si…

– Venez voir, je vous dis.

Je le suis jusqu'à sa voiture, une Audi noire garée au beau milieu du pré, afin que sa femme cuise plus commodément au soleil, je suppose. Derrière le pare-brise, à la place du passager, de plus en plus indistincte à mesure qu'on avance, s'élargit une masse de graisse qui dépasse le fauteuil, et sur laquelle paraissent faux, outrés, une grosse paire de lunettes, de rares cheveux décolorés, une robe à imprimé fleuri. Seule sa petite bouche semble témoigner d'un peu de vie, qui aspire l'air avec la délicatesse, la préciosité d'un poisson hors de l'eau.

– Regardez-moi ça, hurle Robert. Même pas fichue d'ouvrir sa fenêtre. Et vous savez pourquoi ? Parce qu'elle a peur des insectes, comme de tout le reste d'ailleurs ! Elle a peur de vous, là, en ce moment, et puis de moi aussi…

Il pose ses deux mains énormes sur le capot, secoue sa propre bagnole comme un manifestant en colère.

– Hein, que t'as peur des mouches ! Grosse vache, pourriture va !

Le pire, c'est qu'elle ne réagit qu'en devenant un peu plus rouge au milieu d'un visage dont on ne cerne pas les limites, uniquement préoccupée de ne pas perdre la respiration. Pour la même raison, je n'entendrai pas le son de sa voix, même étouffé.

Marco a raison : les gens sont fous, nous sommes les gens, nous sommes fous.

Le même jour, je m'apprête à rentrer les bacs plus tôt que d'habitude, avant dix-neuf heures – Robert m'a épuisé – quand je la vois danser sur le chemin, dans une direction qui s'avère de plus en plus être la mienne. Elle sourit déjà de façon immense.

Elle a lavé ses cheveux blond vénitien qui tombent en torsades, derrière, jusqu'à ses fesses. Devant, sa frange au cordeau, à mi-front, témoigne d'une séance de coiffure devant le miroir de sa nouvelle salle de bains.

Sous d'épais sourcils, ses yeux laissent voir une mosaïque confectionnée avec des tessons de récupération, comme au parc Güell à Barcelone, carrelage oriental, ciel du Nord, faïence délavée, bleu crépuscule, bleu nuit. En dessous, sa bouche perpétuellement en activité témoigne d'une relation directe avec les mouvements de son âme.

Un long cou gracieux va se répandre entre des épaules puissantes, musclées. Il est orné d'une licorne cabrée dans des tons de blue-jean délavé. La pointe de sa corne va se cacher derrière une petite oreille où scintille un brillant, je ne m'en aperçois qu'à la faveur de la joue qu'elle tend, afin que j'y applique la mienne dans une franche bise. Lorraine est arrivée sur moi sans dévier de sa route.

– Ça y est, dit-elle, tout est rangé. C'était facile, il n'y avait rien, et dans ce rien, pas beaucoup de livres… Vous fermiez ?

Une heure plus tard, nous avons glissé de la bouquinerie à la terrasse, de la terrasse à la cuisine. Après l'avoir sortie du réfrigérateur, j'ouvre pour elle une bouteille de champagne qui attendait, il faut bien le dire, Marie – nous l'aurions bue au retour du cinéma. Sur la table éclairée par une suspension, trois bouquins qu'elle a choisis, deux coupes entre Lorraine et moi, qui sommes assis face à face.

À peine ai-je fini de remplir la sienne qu'elle s'en saisit, l'engloutit en deux traits rapides, la repose en tenant ferme son pied, manière de dire, puisque tu as la bouteille en main, n'hésite pas à me resservir.

– C'était bon ? je demande.

– Rafraîchissant comme la vague, avant qu'elle disparaisse dans le sable.

– Qu'est-ce que tu aimes le mieux boire ?

– Un Picon bière.

– Un apéritif amer, le Picon, mélangé à de la bière ?

– Vous alors, m'sieur Antoine, c'que vous me comprenez bien…

– Je n'ai pas de Picon, pas de bière.

– Tant pis, aucune importance, tu me sers ?

À vingt-neuf ans, Lorraine est conteuse professionnelle, un métier qu'elle rêvait d'accomplir depuis l'âge de porter un petit pot de crème à sa grand-mère, du côté d'Armentières, près de Lille, d'où sa famille est originaire. Après une école spécialisée à Bruxelles, elle a bourlingué à travers le monde, autant pour s'imprégner de récits traditionnels, que pour apprendre auprès des maîtres l'art de les transmettre.

Elle vit de sa passion depuis deux ans, intermittente du spectacle. Comme telle, elle est tenue d'effectuer un certain nombre de représentations, de janvier à décembre, derrière lesquelles elle cavale jusque dans des endroits éloignés.

Son téléphone demeure à portée de main. S'il continue de fonctionner parfaitement dans cette cuisine – elle a déjà consulté plusieurs fois sa messagerie –, c'est parce qu'elle a choisi le meilleur opérateur, le plus cher. En cette matière comme dans d'autres, Lorraine semble ne rien négliger, et aller au bout de ses raisonnements.

Elle m'a laissé l'observer, dans la bouquinerie, sans qu'une gêne surgisse de sa part ou de la mienne. Je sais quand on feint de lire ou pas. Lorraine avait la lecture immédiatement absorbée, retranchée de l'entour. Les ouvrages qu'elle empilait sur le comptoir, après avoir croqué dedans, n'étaient pas choisis pour la frime. Sylvia Plath, Marc Aurèle, un recueil de contes, *Le Roi des chats*... Quand elle était tombée nez à nez avec la paroi, le mur uniquement tapissé de poésie, elle l'avait épousé, écrasant sa poitrine contre, le caressant des mains en criant : « C'est génial ! »

À présent, comme si elle suivait ma pensée :

– Tu veux que je te raconte ?

– Quoi ?

– Le roi des chats, dit-elle en désignant le recueil.

Lorraine parcourt rapidement le texte qu'elle connaît déjà, le referme en faisant claquer les pages, durant une minute ferme les yeux, les rouvre au milieu des miens pour ne plus les lâcher, bleu profond, brillant comme :

Le givre fragile sur la lande dépouillée par l'hiver, quand un croissant de lune se lève blanc... L'unique auberge à la ronde s'apprête à rabattre ses volets, on a gardé les fenêtres ouvertes pour laisser partir la fumée. Trois clients s'attardent encore dans la salle du bas, quand la porte s'ouvre brusquement sur un voyageur hébété, hors d'haleine.

– Je viens d'assister...

Il s'effondre dans l'entrée. Les clients, les patrons, tous se précipitent pour le relever, le calmer, l'entourer. Afin de le réchauffer, on l'emmène auprès de la cheminée où siège déjà un chat, les paupières mi-closes, sur son coussin brodé...

– Je viens d'assister à un spectacle qui défie l'entendement.

Le voyageur raconte. Il errait, perdu sur la lande, lorsqu'il aperçut une lueur étrange, telles des serres horticoles mises bout à bout, et vaguement éclairées. La lumière, en réalité, rayonnait depuis les profondeurs d'un long fossé. En s'y penchant, quelle ne fut pas sa surprise d'y voir, à la lumière des petits flambeaux que quelques-uns tenaient, une procession de chats affligés.

De grands félins noirs marchaient en tête, laissant traîner leur queue dans la poussière. Au milieu du cortège venaient les dignitaires de toute espèce, aux crânes ornés d'un bonnet en peau de souris. Enfin le cercueil parut, sous la forme d'une boîte à chaussures richement parée, portée par quatre chats blancs immaculés. Au-dessus reposait une couronne grande comme un bracelet.

– Le roi est mort ? s'écrie tout à coup le matou qui reposait sur son coussin, dans la chaleur de la cheminée. Mais alors... C'est moi le roi !

Et il bondit par une des fenêtres restées ouvertes.

– Yeah… dis-je lorsqu'elle eut fini. C'est de qui, *Le Roi des chats* ?

– T'occupe… Tu as entendu l'histoire avec mes mots à moi, alors qu'est-ce que tu en as à fiche, du nom de l'auteur ? Quand tu vas le savoir, tu rangeras le conte dans sa boîte, pareil que le roi mort, où il cessera de te parler…

– Montre-moi la couverture.

– On s'en fout des noms je te dis !

Ma main s'allonge pour saisir le recueil, elle le retire comme un chien refuse de rendre la balle. Consulte néanmoins les premières pages.

– Il y a du monde aux manettes… Jean-Louis Hue, lit-elle, Jean Cocteau, Washington Irving, John Keats… Chacun a repris cette histoire à son compte, avant moi, avant d'autres… À bas la dictature des auteurs ! Ce qui importe c'est le récit, c'est le sens, tu comprends ?

– En l'occurrence ?

– L'homme ne règne pas sur les chats, par exemple, pas plus que sur les mouches ou les mouettes… Il croit maîtriser un monde dont l'intimité lui échappe.

– Ou bien le monde est tissé de sociétés secrètes…

– Si tu veux.

Dans la cuisine, tout en papotant, je l'ai invitée à finir sans manières une gibelotte de lapin cuisinée il y a deux jours. J'ai tu que le lapin, les girolles provenaient du garde champêtre, les pommes de terre et le thym, de mon jardin. Je ne la vois pas davantage manger que boire. À peine le temps de me retourner, son assiette ne contient plus que des petits os rongés.

À côté de la Veuve Clicquot gisant, exsangue, se dresse maintenant une fière carafe. J'y ai décanté un pauillac que la jeune femme lampe comme moi, de l'eau. Nous parlons du cancer de sa mère, Joëlle – un cancer du sein, Joëlle a subi sa première chimio… Nous parlons de la région qui nous entoure et que Lorraine connaît bien, ils y passaient des vacances autrefois. De là vient que sa mère a choisi plus tard d'y habiter.

– Et ton père ?

– L'est resté au cimetière d'Armentières, enterré là-bas depuis bientôt neuf ans. Cette année, ma mère et moi serons absentes pour son anniversaire – que nous continuons de célébrer sans lui. Il a disparu trop vite. Quand il sera plus âgé, je suppose que nous nous y ferons… Tu as de la musique ? demande-t-elle brusquement.

J'ai ça, une pièce plus loin. Dans le salon, je pousse le volume de la voix de Jehro : « Stolen Rose », un morceau qui irradie avant de devenir parme, puis mauve, un coucher de soleil dans les Caraïbes, sentimental et mélancolique, trop bref.

Elle se lève quand je reviens à la cuisine, s'accroche à la table.

– Waouh !

La lâche comme on pousse le quai, en bateau. Vérifie que son équilibre est à peu près stable.

– J'ai envie de danser. Tu veux bien danser avec moi ?

Il ne s'est pas passé vingt-quatre heures depuis que nous nous sommes rencontrés. Pourtant, je la tiens dans mes bras, j'enfouis mon visage dans ses cheveux, et c'est bien sa nuque, fragile et palpitante, que maintenant je caresse.

Sous son couvert en blé mûr, Lorraine sent l'hélichryse, l'immortelle des dunes. Je redessine avec les lèvres le panache de sa licorne bleue, enfonce ma bouche en direction de sa pointe, sous l'oreille. Alors sa propriétaire esquisse un geste de recul, nos jambes cessent de s'enlacer. Elle pose une main en travers de ma poitrine afin de m'éloigner, soudain sérieuse, dégrisée.

– Nous n'allons pas faire l'amour, prévient-elle.

– Qui parle de faire l'amour ?

(Un fourbe, qui se demande seulement si ça se voit.)

– Pas entre voisins, ajoute-t-elle. J'ai déjà eu une expérience malheureuse…

– Moi aussi.

– Ah bon ? fait-elle, tout à coup déçue ou méprisante. C'est vrai au moins ?

– Parfaitement vérifiable. Épouvantable… Son mari aussi était mon voisin. Cela m'a valu de déménager. Je crois comme toi que ce ne serait pas raisonnable…

Elle-même paraît en douter subitement, me toise de haut – à juste titre, car ce n'est pas notre mitoyenneté qui m'arrête. La fatigue, uniquement la fatigue. Un bref coup d'œil à l'horloge murale vient de m'apprendre qu'il est minuit. Je devrais être au lit depuis longtemps, sans compter que la veille encore…

À la vue des aiguilles qui se chevauchent en indiquant le pôle Nord, mes épaules sont devenues douloureuses. Je n'entends plus la musique qu'à travers du coton hydrophile. Je ne réprime pas un bâillement.

Il allume dans le regard de Lorraine un regain d'énergie derrière lequel luit, au fond, une paillette de cruauté.

– De la bière ! s'exclame-t-elle en battant des mains, en sautant sur place. Voilà ce qu'il nous faudrait. Tu as de la bière ?

– Négatif, je te l'ai déjà dit…

– J'en ai à la maison, je…

– Rien du tout. Il est minuit. Je suis vanné.

Elle ne sait s'il convient de rire tandis que je l'accule vers la sortie, du pas lourd d'un golem.

– Tu ne vas pas te transformer en citrouille, insiste-t-elle. J'en ai pour une minute, je reviens…

Je lui tends ses trois bouquins.

– Bonne nuit, Lorraine.

Ses yeux soudain glacés, islandais. Son petit mouvement fier du menton, sous la lune. Ses jambes qui s'éloignent, adieu fraîcheur, adieu jeunesse, martelant sans douceur le bois de la terrasse… Pas un mot de sa part, une politesse, un remerciement.

J'achète cinquante wongs, le lendemain, un mégapack de bières au supermarché – une bouteille de Picon, quarante. J'attendrai quinze jours qu'elle revienne, le temps, pour elle, d'emmener Joëlle à sa deuxième séance de chimio, d'assurer trois dates, aussi, trois représentations – deux à Montluçon et l'autre à Quimper.

Bien entendu, je ne sais rien de son programme. Je ne la guette pas davantage. À peine remarqué-je ses volets fermés ou non, en passant à vélo devant chez elle. J'attends sans gamberger, sans projeter. J'attends, c'est tout.

Parfois, je lève les yeux au ciel, un ciel bien présent, l'interrogeant, C'est quoi ce *fatum*, ce destin lié aux maisons ? Alors le ciel répond : Voilà, au lieu d'autres voisins, plus ou moins distants, je te présente Lorraine. Sur la roue des locataires, à la loterie, c'est le numéro qui t'échoit. Elle pourrait être ta petite sœur, tant vous êtes complices, tissés de correspondances, tant vous semblez *de mèche*. Elle pourrait être ta fille, surtout, quoique tu n'aies pas d'enfant. Plus de trente ans vous séparent.

À cela aussi, éviter de penser.

5

Dans mon esprit, elle ne pouvait réapparaître que le soir, appariée, désormais, au crépuscule. Elle jaillit par surprise à dix heures du matin, sur la terrasse où le soleil s'est également invité, inondant la bouquinerie par les fenêtres grandes ouvertes.

La température a chuté d'un coup. Fini les marcels, les sandalettes. Je porte un pull à col roulé, tandis que Marco, assis sur un banc de l'autre côté de la table, a revêtu le sien – kaki, de fonction, à l'écusson brodé.

La table n'est pas tout à fait sèche, il reste de la rosée entre nos jus, lesquels proviennent du Kenya. Nous nous sommes mis en tête de voyager au moment du café. Autrefois la Colombie, l'Éthiopie… À présent le Kenya.

Lorraine me regarde – sourire éblouissant – lorsqu'elle arrive sans bruit. À peine aperçoit-elle le profil de Marco – lui ne l'a pas encore vue – que son visage se rembrunit, subitement plein d'appréhension. Si elle pouvait, à cette seconde, disparaître sans attirer l'attention…

Je n'ai pas dit que Marco était pourvu d'un nez proéminent, romain ; qu'au-dessus de son front fuyant, son crâne rasé montrait, à vie, la trace du képi. Marco possède, il le sait, il s'en fiche, une tête de gendarme dans les journaux satiriques. Une caricature.

Mais qu'une jeunette s'assoie près de lui sur le banc, sans plus de manières, voilà que sa figure se métamorphose, soudain digne, fière de n'être pas belle, ou de n'avoir pas reçu, dans l'héritage, d'expression d'intelligence. Cette dernière déboule à l'instant de l'arrière-plan où elle se tenait en retrait. Dans ses yeux d'épagneul défilent de beaux souvenirs, la promesse d'un savoir-faire, de l'amusement, bientôt, car il sait être drôle.

Ne pas cacher son désir, tout de suite, avant de passer à autre chose avec indifférence, c'est ainsi qu'il séduit – ou pas. Dès l'étape suivante, il introduit dans la conversation qu'il occupe la fonction de garde champêtre.

Oh le pouvoir de ces deux mots ! Subitement des sous-bois apparaissent autour de lui, où se cachent des braconniers, un tambour lui pousse dans les mains. Dans quelle image d'Épinal a disparu sa moustache ? Tout le monde a des questions à poser au garde champêtre.

Très vite, à la lueur des phares de son 4 × 4, son récit vous emmène dans des clairières, les prairies qu'il connaît, où vaquent ensemble les biches, les sangliers, et, quasi sous leurs pattes, des lapins.

– Tu as déjà entendu le brame du cerf ?

– Oh oui ! s'exclame Lorraine en battant des mains.

Ses cheveux, aujourd'hui répandus en boucles, s'agitent autour d'elle, à califourchon sur le même banc que Marco, follement intéressée.

Je dois répéter plusieurs fois ma question avant qu'elle saisisse :

– Tu veux z'un Kenya ?

Ce n'est pas évident, dit comme ça. Lorraine relève des yeux inquiets de ne pas comprendre, puis fatigués d'avoir compris – pressés, enfin, de revenir à Marco.

Notons qu'il a gardé les siens baissés durant l'intermède.

Le message a le mérite d'être clair : dans la forêt où il y a quelques hommes et peu de femmes, c'est chacun pour soi, camarade.

Depuis la cuisine où je dévisse la cafetière, je peux voir mon pote se pencher vers la jeune femme, ses lèvres adopter un pli spécial, de jouisseur ou de gourmand, pour glisser quelques mots à son oreille. Elle s'empourpre, s'esclaffe, lui claque familièrement l'épaule – je me souviens de ce geste envers moi, sur le vélo, lorsque nous nous étions rencontrés.

N'empêche que Lorraine ne cesse pas de rougir, quoique Marco ne dise plus rien, et que son regard à elle, fixé sur lui, a changé : non plus craintif, mais agrandi, étonné, attentif.

Lorsque je reviens au soleil avec une tasse supplémentaire, je note que ses yeux se sont remis à briller, rencontrant les miens, et ne les lâchent plus. Fort bien. Il semble que nous nous dirigions vers ce qu'on appelle un « ménage à trois », comme dans *Jules et Jim*, cependant que Kathe-Lorraine oscillerait de l'un à l'autre. Pourquoi pas ?

Nous devons sentir bon la campagne, les hommes en pulls rêches, la camaraderie complice. À nos âges, nous nous fondons dans l'automne. Cela se voit, maintenant, qu'elle nous préfère ensemble plutôt que séparément.

Elle jaillit du banc, saute sur ses pieds, bat des mains – une gestuelle récurrente, semble-t-il, censée marquer l'enthousiasme, et qui la rajeunit encore.

– J'ai une idée ! s'exclame-t-elle. Je voulais inviter Antoine mais… Ça vous dirait, à tous les deux, de manger une blanquette de veau devant l'océan ? À l'heure où le soleil se couche… Demain soir.

– Pourquoi de la blanquette ? Je préfère les tripes, dit Marco.

Lorraine rougit violemment sous l'effet, crois-je d'abord, de la goujaterie, avant de m'apercevoir qu'il s'agit de gourmandise, de la même envie. Ses yeux se sont agrandis. Elle doit prendre sur elle pour maîtriser sa voix :

– Cuites comment, les tripes ?

– Des tripes qui piquent, bouillantes.

C'est sans enthousiasme qu'il vient de le préciser, un peu comme un malade depuis le fond de son lit. Un accès coutumier de mélancolie l'a saisi – le sentiment d'être rejeté, y compris culturellement, pour un détail que lui seul aura capté…

Marco ne s'adresse plus qu'au banc, mâchoire tombante, les yeux dans le vague. Ceux de Lorraine s'inquiètent, les miens la rassurent, évidemment elle s'apitoie… Le loup accablé ne peut s'empêcher de sourire par-dessous son aisselle, quand la jeune femme s'éloigne sur la pointe des pieds.

Le soleil se couche rouge vermillon, le lendemain, devant la plage battue par un vent de nord, une bise. Des galets surgissent isolément, dotés d'une ombre dessinée par un creux de sable dans leur dos. Pour parvenir à la première vague, qui se fracasse, s'étale et chuinte comme ses cousines d'Ostende, il convient de franchir une assez grande étendue de ventres durs, séparés par des flaques vif-argent.

Parvenus à l'écume, on grelotte, tous les trois, les mains dans les poches.

– Je n'ai pas pris de bonnet, regrette Marco dans le col de son blouson relevé.

– Ça pique, intervient Lorraine, en voulant parler de microscopiques météorites, des nuages de silice que le vent propulse en rasant le rivage.

Pas un bateau. Quelques goélands survolent l'océan qui, ce soir-là, paraît effectuer son bête travail d'océan, gris de fatigue, machinal, tandis que le soleil passe, la tête haute, dans une autre rue, une rue séparée…

En nous mettant dos au vent, ce qui fait instantanément jaillir autour de Lorraine une aura de serpents énervés, nous pouvons contempler son Kangoo le coffre ouvert sur le parking qui domine la dune. Un camping-car garé à gauche, un autre à droite, maintiennent une certaine distance avec sa voiture de nomade.

Nous étions montés tous trois à l'avant. Il faut à présent que nous débarrassions la cabine arrière, couvertures, cartons, sacs, un mannequin qui lui sert durant ses spectacles, afin qu'elle puisse, sur le plancher nu, poser un Butagaz, la marmite à réchauffer par-dessus.

Après avoir bouté le feu, elle se réfugie avec une couverture dans le seul coin protégé du vent. Nous nous collons, les garçons, dans les angles des portes restées ouvertes. Derrière Marco à moitié allongé, ses jambes dans le vide, frissonnent les oyats, le *gourbet*. La mer continue de se dévider en priant qu'on l'oublie.

Au milieu de la pile de cartons restés dehors, une glacière. Dedans, des bières. Marco glisse de la voiture, en attrape une paire. Au moment de tendre la sienne à Lorraine :

– Peux-tu me rendre un service ? demande-t-elle. J'ai trop froid. Ce serait de la renverser dans le sable. De la faire boire à mon papa. Il s'appelait André, il est né un 4 octobre. Aujourd'hui, c'est la Saint-Papa…

Elle sourit pour elle-même, dans son coin, les genoux ramenés au menton.

– Il adorait la bière, il adorait les tripes bouillantes. On en a cuisiné une ou deux fois, maman et moi, les 4 octobre. Et puis on a doucement laissé tomber, on a opté pour la blanquette… Ce soir, Joëlle ne peut pas être avec nous…

– J'y crois pas ! coupe Marco.

– Qu'est-ce que tu ne crois pas ? demande-t-elle, fulminant brusquement, comme s'il avait mis sa parole en doute.

– C'est un signe ! dit-il. Hier, quand je t'en ai parlé, j'ai senti à ce moment-là un signe moi aussi. Une sorte d'arrêt dans le temps, alentour, ça reste figé…

– Quand tu m'as dit des tripes, tu parles si ça m'a remuée !

Il a déjà rampé à genoux vers elle.

– Les signes, enchérit-il, s'agit pas seulement d'y croire, faut leur obéir dès le premier, les autres suivront…

Il a incliné son grand nez sur le côté. Elle échappe de peu à un baiser sur les lèvres, se faufile prestement en lui abandonnant la couverture, glisse sur le plancher avant d'atterrir à mes pieds. Dans le même mouvement, rafle la canette que je venais d'ouvrir :

– Je crois que je vais lui donner moi-même.

Quatre taches rouges distinctes illuminent son menton, ses joues et son front ainsi que des balles de jongleur figées en l'air. Impossible de discerner ses sentiments, elle nous tournera le dos durant la cérémonie. Lorsque celle-là s'achève, en chantonnant pour elle-même du Gilbert Bécaud, Lorraine revient vérifier que le faitout chauffe :

– Ça vous dirait que je vous lise un peu de Valérie Rouzeau ? On parlait de l'empire des signes, j'ai trouvé ça chez toi, Antoine…

Elle tire de sa sacoche *Pas revoir*. J'ai déjà dit qu'elle avait la voix claire, elle prononce, en respectant les silences :

Mon père son camion roule sur la terre, le soleil chauffe ses métaux bien triés empilés : le cuivre et l'alu, le zinc et l'étain.
De là-haut les pies n'arrêtent pas de saluer.
La grue à chenilles creuse des ornières où l'eau de pluie se trouvera belle.
L'herbe a des insectes verts qui chantent juste partout sur elle.
Et elle danse.

Lorraine lit trois autres poèmes, je suis envoûté quand elle remarque soudain la disparition de Marco. Nous le retrouvons dans la dune en lui courant au train.

– Pour ce que j'en ai à fiche de vos trucs d'intellos... marmonne-t-il quand nous arrivons à sa hauteur.

Il se tourne vers Lorraine à sa gauche :

– Les commémorations, ça va, je connais... Qui c'est-y que tu verras devant le monument aux morts, le 11 novembre, le 8 mai, le 14 juillet, un putain de drapeau dans les mains ? Ma pomme ! Et puis ton père, je ne sais pas quel type c'est... Tu ne nous l'as pas présenté. Moi je veux bien trinquer à André, mais c'est qui, André ? Pareil avec cette Valérie machin, là... C'est qui ? C'est quoi ?

Il écarte les mains, s'adresse au ciel.

– On est où, là ?

– Viens, je vais te raconter André...

Elle le prend doucement par le bras, se penche vers lui.

– Allez, viens...

Il la suit comme un enfant.

Tout le monde s'est brûlé, c'était délicieux. On se contorsionnait autour de la marmite, assis plus ou moins sur les talons. Lorraine avait préparé du café dans une Thermos. On a viré dehors les restes du repas, fermé les portières en laissant passer un peu d'air, allumé des bougies sur une planchette. La nuit était tombée, la marée atteignait son apogée dans un vacarme assourdissant.

Ils en parlaient tous les deux depuis un moment, Lorraine a sorti de sa besace un jeu de tarot divinatoire. Marco voulait savoir ce que lui réservait son avenir professionnel, pour l'heure obscurci.

Ils se penchent au-dessus des lames qu'elle a tirées.

– Tes ennemis sont en train d'étudier ton cas, dit-elle. Quoique nombreux et bien armés, ils envisagent un compromis qui te réjouira.

Rarement vu Marco dans cet état. On dirait qu'à travers Lorraine, c'est tout l'au-delà, dans sa vastitude, qui s'adresse à lui. Fébrile :

– Est-ce que je récupérerai le 4 x 4 de fonction ?

Lorraine, en signe d'impuissance, hausse les épaules avant de pointer un arcane dans son jeu.

– Tu vas dans le sens de la réduction, de l'allègement.

– Une bicyclette, prédis-je, étouffant un bâillement.

Immédiatement Lorraine fouille sa besace, sort son mobile, en consulte l'horloge.

– Il est temps de rentrer, Marco. Nous atteignons l'heure fatidique à partir de laquelle notre ami va manquer de sommeil.

– Ah, tu sais ça aussi… constate Marco, avec une pointe de tristesse qui fait plaisir.

Elle gare le Kangoo devant la bouquinerie, le surlendemain, avant de rentrer chez elle, au moment où le hameau connaît un peu d'agitation. En fin d'après-midi, les autocars, les minibus scolaires s'arrêtent devant l'aubette immémoriale pour échanger quelques mots entre eux, ou avec les parents, en plus de relâcher les enfants. Ainsi circulent les informations locales.

Peut-être ai-je tort de l'attendre sur le seuil. Lorraine, après s'être extirpée en hâte de son véhicule, court presque et, dans une envolée de cheveux dorés visible à mille mètres, se jette dans mes bras. Me serre le torse, enfouit son visage dedans.

– Il m'a fait si peur !

Demi-tour à droite, sans même la toucher. En pivotant, je puis l'amener dans l'entrée, à l'abri des regards indiscrets. Inutile de demander quel est cet « il » qui la terrorise – hélas on le devine. Laissons plutôt Lorraine, de tout son grand corps, me réchauffer.

Il semble qu'elle-même y trouve un peu plus de réconfort que prévu, ça dure plus longtemps que je n'espérais, j'ai enfoui une main dans ses cheveux quand enfin elle s'arrache :

– Je l'ai rejoint dans un café cet après-midi. Je ne sais pas pourquoi j'ai accepté. Déjà au téléphone, je trouvais ça bizarre, pourquoi un rendez-vous dans un endroit public ? Qu'est-ce qu'il avait à me raconter ? Rien, pas grand-chose, comment ça va… Alors je lui ai simplement demandé, au-dessus des Pepsi : « C'est tout ce que tu trouves à me dire ? – Ben ouais… (tu sais, avec ses yeux d'épagneul). – Tu ne crois pas que j'ai mieux à faire l'après-midi ? » Comme si je l'avais giflé, il s'est levé, rouge de colère. J'ai cru qu'il allait jeter sa chaise par terre. « J'en ai maté des plus coriaces que toi. T'inquiète pas, je t'aurai… » On a tous cru qu'il allait casser la porte en sortant. Pas que moi, les clients aussi sont restés stupéfaits. Mais j'ai peur, Antoine. J'ai peur maintenant…

– Reviens dans le coin, dis-je en touchant mon plexus.

Elle obéit, enserrant à nouveau mes côtes, posant sa tête par-dessus. Mes doigts recommencent de lui masser doucement le crâne, là où je l'avais quitté.

– Un crocodile, quand tu lui marches dessus… Le flic est remonté en surface. À part ça, il ne t'arrivera rien, je le connais. Je vais le ramasser en miettes, il ne m'avouera pas que c'est à cause de toi. Garde tes distances, voilà tout.

– Mais je le rencontre ici !

– Tu ne le rencontreras plus.

(Subitement intéressée.)

– Tu vas le virer ?

– Hé, ho, c'est mon pote, pas un chien malpropre. Je ferai en sorte que vous ne vous croisiez plus.

À mon tour de sourire par-dessous mon aisselle. Fin de l'épisode Marco.

6

Ce soir, Marie a mis les petits plats dans les grands. La cabane tchanquée, fichée sur terre, est illuminée comme à Noël. Sur la table, deux couverts seulement. Marie a décidé, ainsi qu'une fois dans l'année, de faire la cuisine. Toujours, en guise d'entrée, des petits feuilletés aux anchois, puis des *spaghetti bolognese*… Avec le temps, année après année, ses feuilletés, ses spaghettis sont à gémir de bonheur.

Tandis qu'elle s'agite, moitié moineau et moitié écureuil, au-dessus de la paillasse embarrassée d'épluchures d'oignons, sicilienne, avec son tablier noir, elle évoque sa plus récente lecture, une courte pièce de théâtre signée Žarko Petan, *Le Procès du loup*.

Comme son titre ne l'indique pas, on y juge le loup, un loup laconique, convaincu d'avoir avalé grand-mère et le petit chaperon rouge. Les voilà pourtant à la barre, ces dernières ! Obligées de témoigner, au même titre que le chasseur qui les a remplacées par un gros caillou, et allons-y, pourquoi pas, des frères Grimm, qui ont « fixé » ce conte… Le plus jeune des deux, de leur propre aveu, est en réalité le plus vieux, le président en perd un peu la tête.

– Pourquoi tu me parles de contes ?

Elle est survenue spontanément, une fois en l'air, impossible de la récupérer, je peux tranquillement regarder ma question atteindre Marie. Sous l'impact, elle rougit violemment.

– Je veux que tu saches… dit-elle en attrapant mes yeux. Je ne pourrai pas supporter que tu aies une relation avec quelqu'un. C'est une condition sans appel, sinon tout s'effondre autour de moi, je ne sais plus où je suis, ni qui je suis, tu comprends ?

– OK, enregistré.

– Tu ferais mieux de me le dire tout de suite si c'est le cas…

– Quoi ?

– Est-ce que vous avez couché ensemble ?

– Eh bien, pas encore, pas déjà…

Le ton n'est plus celui de la plaisanterie. Elle recule sous l'effet de ce nouveau coup, manque crier, se ravise, bientôt rencognée dans les placards, assaillie par les visions, cherchant à se protéger.

Enfin, quand elle se recompose :

– Tu as changé, Antoine…

– Ouaip, je confirme en jouant des épaules. Je me sens plus fort, plus vaillant, plus résistant…

À travers Marie, la flèche jaillit en direct de l'abribus à l'heure d'affluence :

– Rajeuni ?

– Si tu le dis…

*

J'ai chopé mon voleur.

J'ai attrapé ce putain d'enfoiré qui me bouffait le paysage.

Comment ça se présente, un malfaisant ?

Ça agite la clochette – réhabilitée – ainsi que n'importe quel client, à six heures du soir, devant la porte que j'ai fermée pour conserver la chaleur. Il semble que ce soit la seule chose qui l'intéresse, la chaleur, car, dès que je lui ouvre, il file tout de suite, sans même regarder les livres, en direction du poêle. Pour un inconnu – je ne l'ai jamais vu –, le jeune homme se dirige drôlement bien dans les lieux.

Au milieu de cheveux longs, une barbe blonde ou rousse selon la lumière, lui mange le visage et le vieillit. Un Viking, épaules comprises, un mètre quatre-vingt-dix au sortir de l'adolescence, tend ses mains au fourneau. Dehors, il ne fait pas six degrés sous vent de nord persistant.

Il est entré sans un mot, peut-être qu'il ne parle pas français. Je le laisse goûter une félicité dans laquelle il s'enfonce, les pommettes rougies. Notons qu'il porte des vêtements qui, après lui, ne pourront plus servir à rien, même pas de chiffons, et dans lesquels il doit lui arriver de dormir. Il sent bon, cependant, le bois écorcé, la résine, le goudron chaud après la pluie.

– Vous avez l'air gelé…

Il tourne vers moi ses yeux bleus grands ouverts, comme s'il me découvrait, puis passe successivement en revue, du regard, les divers endroits où ont été commis ses forfaits, le socle auquel manque le carillon arraché, le présentoir où nichaient les Berthet. À leur place, j'ai laissé un grand trou noir où ses pupilles crantées vont se ficher sans qu'on puisse les enlever.

– Hé, ho !

Impossible de le distraire. Peut-être qu'il est saoul. On voit ça, par ici.

– Je me récitais un passage… finit-il par dire, revenu à lui-même.

Le Viking se redresse, sourit pour la première fois, un sourire magnifique. De là-haut, m'envoie familièrement une main sur l'épaule.

– C'est moi qui t'ai piqué les livres.

– J'avais deviné. Tu viens les payer ?

– Holà, mec, cool… Je n'ai pas un rond, sinon je les aurais achetés, tes bouquins… Parlons de choses sérieuses : tu l'avais mis à l'honneur dans ton bouclard. À présent que j'en ai lu deux, pourquoi Frédéric Berthet ? Qu'est-ce que tu lui trouves ? Enfin, c'est ma question *number one*… Quand on vit seul dans la forêt, on se pose de drôles de questions. Certaines ont peut-être tendance à prendre une importance qu'elles n'ont pas…

Depuis que nous parlons, il est clair que le jeune homme joue et se joue de moi. Une sorte de retrait, d'absence dans son regard, signale qu'il a des vues ailleurs, le long d'un chemin où il va maintenant m'emmener. De là, parfois aussi dans ses yeux, des lueurs de malice.

Comment résister à son talent, à sa jeunesse, à sa taille ?

– Berthet ? je reprends. J'aime sa légèreté, son éclat, son côté à la fois elliptique et brillant. Un ange mélancolique a chu sur terre et n'a plus, pour s'envoler, qu'une seule plume. Chez lui cela confinait à la grâce. Plus le temps passe, plus j'apprécie l'impalpable, l'aérien… Pas du tout le genre de ton intrusion.

– Ça ne se voit pas que je traverse une période difficile ? Ça ne se voit point que je n'ai rien ? Les livres sont aussi nécessaires que le pain. Tu refuserais de me donner du pain, boulanger ?

Habillée de guenilles, une créature de la forêt, échappée d'un conte, s'est servie comme elle voulait. Elle a pris une poignée de châtaignes, je ne vais pas en faire un plat. Je devrais être content, selon lui. Au fond, c'est le cas.

– Et toi, ces deux livres, qu'est-ce que tu en as pensé ?

– Ouais, moyen. Démodé, vieille France, souvent inabouti, mais quel style !

Il lisse avec sa main, de profil, l'arête de son cou tendu, avant de réciter, de mémoire et sur un ton flûté :

Ayez la grâce d'un courant d'air, la fluidité de l'éternel, tout à la fois la permanence et l'impermanence des êtres sérieusement atteints. Devenez une espèce à vous tout seul, évolutif et scissionnaire. Expliquez posément la situation à votre compagne intersidérale.

Un acteur-né – c'est moins cela qui, tout à coup, me stupéfie, que la nette sensation de toucher aux portes du rêve, et plus précisément, de *mon* rêve.

Il ne se passe pas un jour, en effet, sans que j'entretienne la fiction d'un individu qui, sortant du bois, ne réclamerait qu'un seul titre. Ce titre, évidemment, je le posséderais. C'est peut-être à cette unique fin que j'en accumule tant. Au lieu d'évoquer la pluie ou le beau temps, nous parlerions de style.

Voilà que sans prévenir, le rêve prend corps, je n'avais pas imaginé qu'il pût s'incarner en Jonas, dont la présence occupe maintenant l'espace au point de se demander qui pourrait l'en déloger. En lui ôtant mentalement la barbe, en oubliant ses dents, qui n'ont pas été lavées depuis longtemps, on discerne la finesse des traits, des pommettes remontant à l'oblique sous une peau hâlée. Une pensée forme récif au milieu du flot de celles que ce beau garçon entraîne avec lui : pourvu que Lorraine ne le rencontre pas, jamais.

Une heure plus tard, Jonas émerge fumant de la douche, une serviette en guise de pagne, pour réclamer du shampooing – bon sang de bestiau, des bras comme mes cuisses, et les siennes, semblables à celles d'Héraclès dans la statuaire grecque, à côté du gourdin coutumier. Je m'affaire dans la cuisine autour d'un frichti pour deux : beaucoup de pommes de terre, des lardons, des œufs… J'ai rempli de bûches la cheminée.

Des placards, j'ai sorti des vêtements subitement trop grands pour moi, des couvertures. Jonas n'en possède aucune, il dort sous des bâches, à l'abri d'une caravane délabrée qu'il a trouvée au milieu de la forêt. Elle appartient à des chasseurs qui sont venus récemment. Ils lui ont laissé, en repartant, du pâté et du vin.

– Je leur ai fait mon petit numéro (il cligne de l'œil). Comme à toi…

– Tiens, le voilà ton shampooing.

– Une brosse à dents dont tu ne te sers pas ?

– J'ai ça aussi.

– C'est la meilleure, les gens gentils, ça existe encore… Vous êtes nombreux comme ça dans le coin ?

Il a atterri là, dit-il, pour se « trouver ». Sans rien, pas de téléphone, plus de compte bancaire, même ses parents ne pourraient pas l'aider tellement il est déconnecté. Juste la nature et lui. *Into the wild*. Se confronter au vide, le meubler, l'habiter, le vaincre. Revenir en homme accompli parmi les siens.

Toute la famille, qui habite plus ou moins à Paris, travaille dans le cinéma. Son père est directeur de production, sa mère attachée de presse, un de ses oncles, chef opérateur, un autre, régisseur, etc. Mais l'on n'y compte pas, pour l'heure, de comédien. Et s'il appartenait à Jonas d'occuper l'emplacement resté libre ?

On l'y pousse avec tant de conviction que l'intéressé recule.

– Comment endosser un rôle quand j'ignore ce que je veux ? Et puis d'abord, qui je suis ? Où sont mes limites ? La plupart des jeunes gens de mon âge possèdent déjà un but, même vague, dans l'existence… Ou bien ils cultivent des passions. Je n'en ai aucune. Les années devant moi, je les regarde arriver avec terreur. Comment les utiliser ? À qui ou à quoi les consacrer ? Tu avais la vocation, toi ?

– Les livres m'ont sauvé la vie, depuis je sauve la leur. J'appellerais plutôt ça un remboursement, une gratitude, un sacerdoce.

– Ils ont trop de chance, ceux qui démarrent dans la bonne direction. Moi, je n'ai toujours pas trouvé le camp de base, l'entrée du chemin, tu vois. Plus tard, je serai quoi ? Aucune idée.

– Ton prénom de Jonas… Tu as choisi d'habiter le ventre de la forêt plutôt que celui de la baleine… Tu attends d'être renseigné sur toi avant qu'elle te régurgite.

– J'y ai pensé – aussi aux rites initiatiques, celui-là en est un, évidemment.

Mais il existe encore une autre raison à son retrait, qu'il ne révélera que durant le repas. Sa fiancée l'a largué, là-haut, à Paris où ils habitaient ensemble. Leur liaison avait duré sept ans.

– Tu as quel âge ?

– Vingt-cinq…

– Et merde, reprend-il en écrasant furtivement une larme, le fait est que je déguste encore. C'est de ma faute, j'ai déconné. Je lui ai tout laissé en partant, tellement je me sentais nul.

– Sept ans de vie commune. À ton âge, tu te rends compte ? Comment ne pas en sortir cassé ? Du reste, on pense qu'on va s'en sortir. En réalité, on ne s'en remet jamais. Bon, maintenant, une fois que tu sais ça, tu le fourres dans ton sac de marin, tu réembarques…

Jonas, qui me dévisage attentivement au-dessus de son assiette, suspend le trajet de sa fourchette. Un instant auparavant, je lui ai conseillé de manger moins vite.

– Ça t'est arrivé ? demande-t-il.

– Mouais. En pire…

– Raconte.

– Non je ne peux pas. Je fais pleurer à chaque fois, marre de faire pleurer.

– Il me reste quelques larmes en réserve, tu peux y aller.

Elle s'appelait Anne, un prénom entouré d'un hiatus, qu'on ne sait où accrocher, et qui demeure suspendu comme une exténuation, un début de mot, une adresse qui n'aurait pas été achevée. Anne, on sent déjà qu'une part manquera.

J'avais dix-huit ans et elle pareil. On s'était rencontrés au marché de Montreuil, sur le stand de Gilbert, le bouquiniste chez qui j'avais grandi. Je l'aidais à déballer, à remballer, il m'autorisait à exposer un choix de bouquins, mes propres auteurs, en quelque sorte, dans un carré réservé, et c'était ce choix qui avait intrigué Anne.

Nous avons pris langue, elle est revenue, de plus en plus souvent, jusqu'à ce qu'elle finisse derrière le stand, avec Gilbert et moi. Elle ne craignait pas de parler avec les clients. On sentait qu'elle avait la vocation, au moins autant que nous. Elle aussi habitait Montreuil, je ne l'avais jamais croisée.

Et pour cause, nous ne venions pas des mêmes milieux, le sien tendait vers le haut, et le mien, vers le sien. Mais : le père d'Anne… Un psychiatre. Compréhensif, généreux. Amoureux de sa fille, qui l'aimait également. Je les aimais tous les deux, j'avais ma place là-dedans.

Nous n'avons jamais songé à nous marier, elle ou moi, tant il était évident que nous nous destinions l'un à l'autre, de toute éternité. Autour de nous les livres fleurissaient, nous apprîmes le métier étroitement enlacés, sous l'aile bienveillante de Gilbert. Quand il fut temps pour lui de se retirer, il nous céda peu à peu sa place. Au marché, nous tenions lieu de mascottes, les vieux camelots nous adoraient. Comme elle a dû, avec nous, leur paraître belle et fraîche, la relève !

Anne avait vraiment un don avec les bouquins, non pour les fourguer comme moi, mais au contraire, pour les faire valoir en soutenant leur prix. Bientôt, sans que cela nous affecte, nous n'avons plus joué dans la même catégorie. J'ai continué de taper dans mes mains pour les réchauffer, sur le bout de trottoir où elle ne venait plus. Anne courait les ventes à Drouot, négociait avec des libraires d'ancien, des grands Parisiens. Elle gagnait en passant un coup de téléphone – le plus souvent en disant « non » – ce que j'aurais mis des mois à économiser.

Notre situation avait changé. Nous avions acheté, avec l'aide de son père, un appartement, des box. Ma camionnette lilas était neuve et son break aussi. Nous nous suivions, pleins à ras bords de livres, elle devant, moi derrière, après avoir « fait une adresse » – c'est-à-dire emporté une bibliothèque, rue Cambon. Pour éviter un piéton, place Vendôme, elle a freiné pile. À cette époque, l'appuie-tête était en option sur ce modèle, je me rappelle que nous avions hésité, et puis non, finalement, par souci d'économie, nous n'en avions pas pris.

Une caisse lui a brisé la nuque. Derrière, je croyais qu'elle avait calé, ne parvenait plus à repartir. J'ai ouvert le premier sa portière. Nous avions vingt-neuf ans.

Je ne t'ai pas parlé de son physique, c'est privé, il continue d'apparaître dans mes rêves, la nuit, raison pour laquelle je ne veux pas manquer de dormir. Je suis resté trois ans tellement stupéfait que j'en ai perdu l'usage de la voix. Je m'exprimais sur un carnet, avec un stylo. Son père et moi passions notre temps à pleurer comme des gouttières dès que nous nous rencontrions.

Il venait me voir sur le marché, puis ses visites se sont espacées. J'avais trouvé refuge dans les bras de l'alcool, bon, c'est une autre histoire, mais si je réfléchis, il aura fallu plus de trente ans pour que je me remette de son accident. D'ailleurs, en suis-je remis ?

Il n'y a pas que la nuit qu'Anne est susceptible d'apparaître. Sa silhouette, de jour, se glisse le long d'un arbre pour me fixer, moi. En cas de problème, sa voix continue de venir me chuchoter une solution.

Au printemps, dans le jardin, quand ce dernier est magnifique – elle aurait apprécié le spectacle –, je la sens près de moi, côte à côte. Il ne faut pas regarder dans sa direction, sinon, comme Eurydice, elle disparaîtrait. Je lui parle, j'ai le sentiment qu'elle m'écoute. C'est de la folie ? Nous sommes tous fous.

Elle aussi s'exprime, on va dire, par vagues mentales… Elle regrette d'avoir vieilli plus vite que son camelot préféré, lequel tâche de se maintenir en forme, malgré tout. « N'aie pas de scrupule, prends ton temps… » Elle patiente et patientera encore devant la dernière porte. Nous aurons beaucoup changé à ce moment-là, prévoit-elle. Aurons-nous le temps de nous étreindre avant de disparaître pour de bon ? Anne n'attend plus que moi.

Silence, pas un mot de la part de Jonas, qui se ressert un grand coup de rouge, le boit d'un trait, fait claquer sa langue. Puis, se rapprochant de moi, et montrant la bouteille :

– Tu en veux ?

J'ai connu quelques réactions. C'est la sienne que je préfère.

La cuisine autour de lui semble avoir rétréci, il n'a qu'à tendre la main pour attraper le compotier sur le buffet, le poser sur la table entre nous. Dedans, trois pommes, il en croque une. Je reste fasciné par l'aisance avec laquelle le jeune homme s'empare de ce qu'il trouve à sa portée, sans demander la permission ou s'encombrer de politesse.

– Depuis, tu vis en retrait du monde… dit-il d'une voix rêveuse. Entouré de papier. En misanthrope.

– Ah non, je rectifie vigoureusement. Pas misanthrope : j'aime les hommes, les femmes, les enfants… Mais anachorète : je crains leur nombre.

Il se penche subitement au-dessus de la table – c'est une manie qu'il a de s'approcher trop près, rompant la distance de sécurité, pour dire à quelques centimètres ce qui lui tient à cœur :

– Ouais, en misanthrope, quoi.

Et de me serrer l'épaule avec un clin d'œil. Je ne suis pas sûr d'apprécier. J'attends qu'il fasse à nouveau grincer sa chaise en se rasseyant dessus, qu'il la cale contre la table, bien coincée, l'individu est imprévisible.

– Bon, reprend-il, puisque je ne veux plus parler de moi et que tu as assez parlé de toi, de qui allons-nous parler, *amigo* ?

– De Berthet encore, et puis nous fermerons le ban. Tu le connaissais auparavant ?

– Le premier, chez toi, je l'ai pris par caprice, par défi. Je ne connaissais pas son nom, tu l'avais mis en évidence… Cela faisait plusieurs fois que je t'observais, depuis le bois. Je suis entré parce que j'avais envie de savoir tes goûts de lecture.

– Touché, mais, euh… Pourquoi ? Dans quel but ?

– Pour te comprendre, apprendre qui tu étais… Me ménager un poste de secours, le cas échéant… Mon plus proche voisin est un brave homme, je ne me suis pas trompé. Exactement le gars que je rêvais de fréquenter le soir où le froid et la faim seraient intenables. Comme aujourd'hui, tu as remarqué ?

– Tu venais avec une lampe torche, la nuit ?

– Une pile frontale, d'ailleurs j'ai oublié de la prendre. Ne m'en veux pas, les livres sont nécessaires comme le pain, Antoine.

Jonas est un peu saoul. Il m'avait prévenu avant de passer à table : « Ce soir, je me bourre la gueule. » Je lui ai proposé un lit.

– Je ne vais pas profiter d'un édredon à peine le stage de survie commencé. Je suis en train d'emmagasiner une force, tu ne peux pas savoir… Je ne la laisserai pas se répandre à travers un matelas moelleux !

– J'insiste. La température doit avoisiner le zéro, dehors.

– Avec les couvertures que tu m'as données, ça ira.

– Combien de temps, le stage ?

– J'espère passer l'hiver.

– Par Toutatis, tu vas mourir. Je retrouverai ton corps gelé dans la caravane. J'en profiterai pour récupérer mes bouquins.

– Tu en as d'autres ? Je vois que tu fais la gueule. Allez boude pas, je te les ramènerai.

– Dans quel état ?

– Bon alors je les garde. File-m'en quelques-uns, je te dis, fais-moi connaître d'autres auteurs… Comment ça, tu ne veux pas ? Faut que je revienne les piquer dans ton dos ? Tu sais que tu es un vicieux, dans ton genre ?

*

Lorraine ne ferme ses volets que lorsqu'elle s'en va, laissant elle aussi, comme moi, la lune baigner son sommeil. S'il faut une preuve supplémentaire qu'elle est bien revenue, à la distance où nous sommes voisins, s'allume parfois une fenêtre sous le pignon qui donne de ce côté – ses toilettes à l'étage. J'attends trois jours de volets ouverts qu'elle débarque sur ma terrasse.

Aux environs de seize heures, cet après-midi-là, le soleil se dépêche de fourguer tout ce qu'il a, se débarrassant de son stock de chaleur, profitant qu'aucun nuage ne soit en vue jusqu'à l'horizon.

Elle ne porte, blanc rayé de rouge, qu'un short relativement court, un débardeur assorti et relâché, dévoilant, sans plus de complexe que Jonas, des cuisses magnifiques, suédoises, bronzées. On se rend compte de l'existence de leurs courts poils blonds lorsque la lumière les allume – minuscule blé mûr courbé par le vent. Plus haut, on ne peut pas ignorer ses seins, près d'un kilo chacun, enfin libres de se balancer sous très peu de tissu. Parfois un œil rose, cerné d'une large aréole marron, émerge, qui semble cligner avec humour avant de regagner l'abri du rideau.

N'importe qui pourrait songer à une tentative de séduction outrée, pas moi. Lorraine se sent à l'aise ici, voilà ce que cela signifie. Je n'ai pas d'autre objectif qu'elle se sente mieux, dans ce nid, et davantage – allongeant ainsi le temps de l'admirer, car je l'admire totalement, inutile de le cacher. Chaque détail d'elle n'en finit pas de me ravir, de m'étonner, de m'émouvoir, de m'enrichir. Je n'aurai pas de ces gestes maladroits qui les effacent tous.

Quant aux découvertes, aux explorations qui nous attendent, au point où nous en sommes, il lui appartient d'en déclencher ou non la succession. C'est clair, comme elle dit. Évident, limpide comme un ciel du Nord.

Notre alentour immédiat, dès que nous nous parlons, les meubles, les pièces, le dedans, le dehors, le paysage, cessent de nous retenir, il semble que nous nous élevions légèrement au-dessus d'eux, à la manière de montgolfières captives. Elle est bavarde, je suis taiseux, évidemment on s'entend, cela résonne partout en nous. Elle m'a aidé à rentrer les bacs sans même que je m'en rende compte. Elle frissonne à présent que le fraîchin tombe.

– Reste dîner, je lui dis. Je vais te prêter un pull, allumer le feu. C'est dans mon karma de cuisiner, en ce moment.

– Je cours à la maison, je me change, je reviens.

Lorraine est ce qu'il convient d'appeler une « voyageuse ». La catégorie n'existait pas autrefois, de ces jeunes femmes qui prennent l'avion aussi bien que la route, fraternisent aux quatre coins du monde et savent se débrouiller avec malice en toute circonstance.

Lorraine n'avait pas trente ans, le nombre de pays où elle s'était déjà rendue, en Afrique, en Amérique du Sud, en Asie du Sud-Est – mais aussi l'Islande, l'Écosse, la Sicile, la Pologne ou la Turquie… – formait un sac inépuisable d'expériences, de leçons, de révélations, de rencontres et, bien sûr, de contes, dans lesquels sa mémoire ne demandait qu'à puiser.

– Je suis hypermnésique, dit-elle. Je me souviens de tout, je te préviens.

J'ai sorti d'un placard, dans la cuisine où le feu crépite, la bouteille de Picon neuve. Je la lui présente religieusement.

– Meilleur que le champagne, non ? (je crois utile d'ajouter).

Elle éclate de rire, renversée, sa nuque touche son dos, ses cheveux se répandent. Elle s'arrête dans un grognement d'animal repu. Sa voix d'ordinaire claire, presque métallique, devient chaude, profonde.

– Tu as vraiment cru que je préférais le Picon à la Veuve Clicquot ? Ce que tu es mignon… Je vais avoir un peu d'argent, reprend-elle. J'ai bouclé mes dates, je toucherai mes droits… On ira ensemble acheter du champagne et puis d'autres trucs, d'accord ?

L'idée la fait sautiller sur place, applaudir – soudain onduler comme une chatte, yeux de braise. Dans un miaulement :

– Tu ne veux pas venir faire les courses avec moi ?

Avant de s'échapper en riant, valsant sur elle-même.

– Reviens par ici, s'il te plaît.

Je lui ai trouvé un petit boulot, depuis la chaise à côté, éplucher les carottes, les couper en morceaux. Elle s'en acquitte en silence, au bout d'un temps, son profil plongé dans une paix, une rêverie qui la ramène à Delft, au XVIIe siècle, près d'une fenêtre où Vermeer aurait pu peindre son menton un peu épais, son regard imperturbable, sa carnation cuisse-de-nymphe-émue, l'enfance boudeuse conservée dans le pli de ses lèvres.

Lorraine, Lorraine, je ne cesse de me répéter ton prénom. Lorsqu'il franchit ma gorge, mon palais, on dirait une cuillerée de miel. Dans Lorraine, il y a l'or, il y a reine.

– Parfois je te trouve très jeune, dit-elle. Plus que moi…

– Puéril ?

– Je n'ai pas dit ça. Tu n'as jamais voyagé ?

Une semaine avec Anne, à Rome – nous courions les puces à la recherche de vieux magazines d'art… Il y a quatre ans : trois jours à Bruxelles – où j'ai acquis un lot de livres.

Je préfère évoquer avec elle les merveilleux récits du genre, au premier rang desquels se place la *Rihla* d'Ibn Battûta, écrit au XIVe siècle par un écrivain voyageur aussi léger que l'air, doué de surcroît d'une mémoire prodigieuse, « hypermnésique », dirait Lorraine. Il campe en liquette, solitaire, sur des sommets glacés. Pour se déplacer, il se glisse dans des caravanes. Quand il parvient à une ville, on le reçoit en audience. Partout il recherche les plus sages des hommes, souvent les plus sages des hommes l'attendent.

Ibn Battûta n'était pourtant parti de Tanger, sa ville natale, « que » pour effectuer un pèlerinage à La Mecque, mais pourquoi s'arrêter en si bon chemin, débuter à peine cette galerie de rencontres avec des individus remarquables ? Il gagne l'Irak, la Perse, l'Asie Mineure, la Russie, Constantinople, l'Asie centrale, l'Inde, les Maldives, le Bengale, Sumatra, la Chine… Tout cela en six cent cinquante-deux pages.

Non, Lorraine, je n'ai pas voyagé autrement qu'en reprenant de temps en temps, ainsi que toi, l'avion, mon exemplaire de la *Rihla*. Déjà tu parles de repartir quand Joëlle se portera mieux.

– J'ai envie d'aller en Patagonie. Voir les baleines, les manchots, les *gauchos*…

– Qui dansent ensemble le tango. Quel cliché ! Pourquoi ne t'es-tu pas installée chez ta mère le temps de son traitement ?

– Le premier jour, nous nous adorons, le deuxième, nous nous supportons – le troisième, nous nous détruisons. En général, c'est moi… Les portes ont claqué trop souvent pour qu'elle les entende encore au moment où elle perd ses cheveux, ses sourcils…

– Désolé…

Elle observe le silence. Lorsqu'elle rêve ou réfléchit, on dirait qu'elle boude.

– Tu as un homme dans ta vie ?

– Pas pour l'instant, mais je suis fixée sur le prochain. Il sera beau, solide, il tiendra debout tout seul. Nous ferons des enfants, il est temps. J'ai toujours voulu en avoir trois et j'en aurai trois.

– Tu as toujours fait ce que tu voulais, n'est-ce pas ?

– Absolument.

– Alors pourquoi es-tu en train de craquer pour un vieux sans avenir ?

Lorraine n'essaie pas de nier. Ses yeux écarquillés témoignent seulement d'une incompréhension.

– Tu n'es pas dans mon programme… se désole-t-elle. Tu n'apparais nulle part, même pas dans les tarots que je me tire, le soir.

– Ce serait à proprement parler un écart ?

– Eh bien, justement, pas d'écart. Il faut que tout se réunisse, fasse signe. J'attends un signe.

7

Lorraine n'aura pas de représentation, n'assurera pas de date jusqu'à la fin du mois. Son calendrier lui offre dix jours de vacances qu'elle met à profit pour songer à un nouveau spectacle, pour rendre visite à sa mère – j'en bénéficie aussi, le matin, l'après-midi ou le soir. Parfois les trois sont liés. Nous passons le plus clair de notre temps ensemble.

Octobre est resté suspendu aux lèvres du soleil abondant, avec la bienveillance d'un ciel où de rares nuages patrouillent avant de repartir dépités. À l'aube et au crépuscule, qui exhalent les odeurs, cela sent la cuve à vin, la grappe écrasée sous le tracteur terreux, la vendange – un parfum de raisiné s'élève de toute la région.

Les couleurs revenues – lavées par la pluie, décapées par le froid – on s'aperçoit que des fleurs ont résisté. Par centaines les asters, au bord des fossés, ouvrent des yeux jaunes étonnés parmi les longs cils violets ou blancs qui les ourlent. Des papillons, souvent en couples, volètent au-dessus sans se toucher.

Les fougères sont devenues rousses et les chênes dorés.

– Tu n'aimerais pas aller te promener en forêt ? demande-t-elle, tandis que dans la bouquinerie, je nettoie, découpe, plie, je remplis et empile des cartons pour le compte de Mme Wong.

– Celle alentour ?

– Par exemple…

– Pas question que j'y mette les pieds, dis-je en songeant au jeune Viking qui l'habite. C'est rempli d'esprits cachottiers et furtifs là-dedans. Avec des apparitions subites à la clé. Je pense à une photographe allemande.

– Moi je suis tombée sur un korrigan, un vrai. Tu sais que l'espèce est diverse. Il y en a de toutes sortes selon qu'ils demeurent sur les rivages, dans les marais, dans les bois ou dans les maisons. Le mien était un *Viltanson*, du genre qui guette les jeunes filles au bord des chemins. Il a voulu m'attraper un sein. Je lui ai arraché tellement de barbe, j'en tenais par poignées dans les mains. Il a eu une réaction typique de korrigan. Tout rouge, il s'est enfui en hurlant. Tu vas me trouver présomptueuse, mais je ne crains pas grand-chose dans la forêt. Au contraire, elle est maternelle et grand-maternelle avec moi. Quand je vais me promener, je repère une bonne litière, je fais une sieste, elle peut durer des heures. Quel esprit est venu me visiter durant ce temps-là ? J'en ressors apaisée, purifiée – droite.

– Tu veux dormir avec moi sous un arbre ?

– Mais oui, aussi… Cette forêt m'appelle, c'est lié à toi, Antoine. Je ne l'ai pas explorée exprès. Elle nous est réservée – seule, ça me paraîtrait sacrilège… Tu voudras bien qu'on y aille ensemble ?

– On verra. Un autre jour. Pas le temps.

Lorraine n'aurait peut-être pas loué cette maison s'il n'y avait eu, de l'autre côté de la haie, des milliers de livres et leur gardien.

– J'ai un peu menti, dit-elle. Je t'ai espionné plusieurs fois avant de m'installer.

– Aïe, toi aussi… Tu me fais mal, tu ne sais pas à qui tu t'adresses… Où est-ce que tu te cachais ?

– Pas besoin de se cacher, il n'y a qu'à se promener sur le chemin. Je te fais mal parce que je t'ai menti ?

– Je suis parano.

Elle bat des mains, éclate de rire, sa blondeur virevolte autour d'un visage qui connaît, dans la joie, deux ou trois degrés de plus que nous autres, et que la chaleur empourpre.

– Moi aussi, dit-elle, les yeux brillants. Pas facile, hein ? Sans compter qu'on a souvent raison… Au fond je me demande s'il ne faut pas être un peu parano pour habiter des endroits pareils, retirés de tout, où ne passe que le facteur…

Voire, car on vient d'agiter la clochette à l'entrée. Monsieur et madame ont un fils, neuf ans. Ils sont déjà venus, lui est cadre à la mairie, elle est institutrice.

Des clients aptes à se laisser surprendre par un titre, un auteur qu'ils n'attendaient pas. Disponibles, ouverts. J'ai remarqué que leur fils, en revanche, s'ennuyait toujours ferme dans le coin réservé aux enfants, aux ados – si ouvertement, en réalité, que cela n'échappe pas à Lorraine, elle le rejoint.

Bientôt – et malgré diverses interventions de la mère –, ils ouvrent des albums, on entend leurs murmures. Puis c'est la voix de Lorraine, claire, intelligible, qu'un presque rien – son art – pose et impose, comme si ce timbre provenait moins d'elle que d'une instance étrangère, inconnue, palpitante.

Les parents se rapprochent, le fils est sous le charme. Quand le récit – arabe – s'achève, on applaudit.

– Elle est formidable votre fille, dit le père.

Ça semble également l'avis de sa descendance, le petit salopiaud s'est réfugié entre les seins de Lorraine, la serrant entre ses bras au point qu'on doit menacer pour le décoller. Même les chattes sont de la partie – les trois – qui se sont glissées à proximité en n'attendant que l'occasion de ronronner contre elle.

– Une école de contes, à Bruxelles… (j'argumente).

– Non, non, je veux dire, elle est vraiment épatante… Éclatante, rayonnante !

– Ça se voit donc tellement, que c'est ma fille ?

– Ah, vous ne pouvez pas imaginer !

*

Le lendemain, Lorraine m'a convaincu de suspendre un panonceau « Fermeture exceptionnelle » à la porte de la bouquinerie, nous nous rendons au supermarché de la ville voisine. La Veuve Clicquot, née Nicole-Barbe Ponsardin, tient lieu de phare. J'apprends à Lorraine qu'elle vécut quatre-vingt-neuf ans, son mari, qu'elle adorait, était issu de la plus illustre famille de facteurs d'orgues français.

– Voilà sans doute pourquoi, quand tu en bois, tu as la sensation de monter comme des notes dans le tuyau avant de te diffuser en altitude.

Ainsi que dans de nombreuses cités tombées en déshérence, leur centre désaffecté au profit de la périphérie marchande, le supermarché tient lieu de vendeur de journaux ou de fleurs, de bistrot, de boulanger, tous les habitants s'y rencontrent. On n'a pas passé la porte, elle en dansant tandis que je pousse le chariot, que de vagues connaissances m'interpellent, dévorant, plutôt que détaillant, Lorraine des pieds à la tête.

Elle est aujourd'hui vêtue en arpenteuse de lande, gros godillots, longue jupe, un caban. Rien ne vient entraver ou cacher, en revanche, ses cheveux en flammes, à la liberté quasi scandaleuse – ni son sourire à tomber par terre. En revenant chez mes semblables, je découvre n'être pas seul à la trouver canon.

Dans les allées, j'ignorais que je fréquentais autant de monde. Les compliments abondent, ça fait plaisir, autant de bienveillance à son égard : « Elle devrait venir voir son papa plus souvent », ou bien « La cave lui a réussi, vous nous la cachiez, celle-là… » Deux ou trois fois : « Elle est mariée ? » – non par sollicitude, mais pour s'assurer que sa blondeur n'aille pas flanquer le feu dans le pays.

Je réponds pour elle qui s'en fout, qui cavale, altière, nantie désormais du Caddie. Elle a remarqué que je n'avais pas beaucoup de provisions dans les placards, entreprend d'en accumuler à mon impécunieux endroit.

– Qu'est-ce que tu aimes manger ?

Attention à ce que je vais dire. Si je prononce « chocolat », j'en aurai, comme par enchantement, plusieurs tablettes. Déjà, pour m'être arrêté devant des chaussettes qui paraissaient chaudes, confortables, elle m'en a choisi deux paires.

Ma fille. Est-ce que j'aurais aimé avoir une fille ? Certainement, oui. Une telle qu'elle, cependant, je n'aurais pas osé en rêver… Compréhensive, attentive, digne, franche, curieuse, courageuse, cultivée, indépendante, généreuse, drôle, pleine de santé – beaucoup de qualités. Peut-être a-t-elle des défauts, mais alors, comme si Lorraine était *vraiment* ma progéniture, je ne m'en aperçois pas.

Ce n'est plus une adolescente. Elle aura bientôt trente ans. De là vient notre air insouciant, à tous deux, si ce n'est notre gaîté. Elle a triomphé des plus gros périls, ceux qui nous guettent au moment d'entrer dans la vie – le plus fréquent consistant à être dévoyée, sortie de son chemin, de sa vocation… Je suis fier qu'elle ait réussi à devenir conteuse.

À présent que sa personnalité s'est formée, cela procure un plaisir constant de la voir ramifier, s'étendre et fleurir autour d'elle. Lorraine commente ses transformations, faisant valoir l'intérêt fondamental de tout ce qui la touche, de tout ce qui l'augmente au passage. Papa ou pas papa.

Nous remisons ensemble, au retour, les provisions dans le placard, le frigo. Je ne sais comment la remercier, dis-je.

– Oh, c'est très simple, répond-elle. Allons visiter tous les deux *mu* forêt cot après-midi.

– C'est un peu la mienne aussi, je possède la corne qui s'achève dans le jardin. J'en tire mon bois, l'hiver…

– Est-ce que ce ne serait pas le bon moment pour les champignons ?

– Toutes les conditions sont réunies, un peu trop, même… La question devient : nous en a-t-on laissé ?

Nous prévoirons cependant un panier avant de nous enfoncer dans la forêt, les forêts, devrait-on dire, tant leur couvert en cache de successives, et de différentes natures. Notre plan consiste à les explorer en cheminant au nord jusqu'à leur lisière, de ce côté. Après quoi, nous n'aurons plus qu'à revenir en suivant la bordure. Nous sommes aidés dans notre tâche par l'application Wherever que Lorraine possède sur son portable. Notre position y clignote comme une voiture piégée dans le centre de Londres.

Des taillis d'arbousiers, de genêts, où se dessinent des sentiers, font place à des cathédrales subites. Sous la voûte des anciens chênes, la voix résonne dans un silence inquiétant. La relève des jeunes attend à côté, campement de troncs frêles, certains sinueux au point de former, sur leur socle de feuilles rousses, l'alphabet sculpté d'une langue inconnue.

Puis des lauriers, des saules, un dévers, on patauge un instant là où des sangliers ont fouillé avant nous. On relève au bord d'une petite mare noire de profondes empreintes d'adultes, celles, plus légères, de marcassins. Pas de champignons comestibles. À leur place souvent, une trace d'arrachement – une méthode de barbare, plutôt que de les couper.

Au point où nous en sommes, au cœur des bois et de l'après-midi, nous devrions nous trouver dans des endroits vierges, vides, désertés… Mais partout émergent des traces de vie : des cartouches usagées ; un sommier dans une clairière ; des branches empilées au milieu d'un sentier jugé trop passant ; une hutte récente, d'autres effondrées…

J'ai toujours l'impression, dans les lieux isolés, qu'on s'est tu en nous entendant approcher, qu'on attend notre départ pour continuer son activité. On : non seulement les oiseaux, les insectes, les mammifères dont l'homme caché, aux aguets, mais aussi les vieux arbres aguerris et jusqu'à la moindre fougère. Tous désignent des intrus à leur silencieuse, immobile manière, et pointent le doigt sur nous.

Je marche comme on glisse par crainte d'importuner. Lorraine n'a pas de ces scrupules, comment l'atteindraient-ils ? Elle avance dans le sous-bois comme si elle était intégrée dans le paysage, déjà peinte dedans.

Il y a de la nonchalance, de la distraction dans ses enjambées qui rappellent le pays des géants.

Vers cinq heures, après avoir traversé une pinède dans toute sa gamme, du plant guère plus haut que le genou, au céleste vingt ans d'âge, nous atteignons enfin notre objectif. Au-delà, la vue débouche sur l'étendue du marais, pour l'heure flapi, jauni, révélant par endroits la silhouette camouflée de *tonnes* – de cabanes pour la chasse aux canards.

Nous n'avons plus qu'à remonter la lisière, côté campagne cette fois, mon allure s'allège, nous n'avons rencontré personne, pas de grand blond. Bientôt on aperçoit le coin en virgule de la forêt, complété, à cette distance, par le point de la bouquinerie.

– On ne peut pas revenir bredouilles, dit-elle. Un dernier essai…

Elle me retire des mains le panier vide.

– Il reste un peu de lumière. Allez…

Passé un fourré défensif, nous retrouvons la cathédrale impressionnante, les hauts fûts des chênes avec, entre eux, beaucoup de place pour un silence épais. Le bruit de nos pas sur des générations de feuilles rappelle le crissement de la neige.

C'est elle qui la trouve :

– Viens voir…

Au milieu d'une coupe essaimée d'anciennes souches, la caravane ressemble à un clochard enfoui sous des couvertures – en réalité, un empilement de bâches hétérogènes, plus ou moins tendues, censées assurer son étanchéité. À proximité, un poêle dénué de tuyau tient lieu de brasero, qui se dresse, noirci, au milieu d'un rond de cendre blanche, lui-même entouré d'un cercle emmêlé de branches destinées à brûler. L'œil a de plus en plus de mal à discerner, alentour, des objets disparates, machine à laver sans tambour, vieux tonneaux, divers outils…

Dans l'obscurité grandissante, la porte grande ouverte, calée contre la paroi, semble donner sur un puits. Quand Lorraine l'éclaire du halo de son portable, on s'aperçoit que des chiffons, en guise de rideaux, masquent les fenêtres. Une couchette, vers le fond, sur laquelle je reconnais mes deux couvertures roulées en boule, figure le seul espace libre au milieu d'un bric-à-brac qu'on a tâché d'emboîter, de compresser, planches, tréteaux, tabouret, roue de vélo, buste de femme, portemanteau. À peine touche-t-on un objet qu'on écrase une goutte. L'humidité suinte de partout. Cela sent le bois moisi, le fer, la rouille.

– Qui peut habiter là ? demande-t-elle en se frayant un chemin vers le fond.

– L'abominable homme des bois. Les films sont pleins de types de ce genre, d'habitude ce sont eux qui ricanent en guettant les naïfs dans le nôtre. On a dû prendre son scénario à rebours, il ne va pas être content. Je n'ose penser au sort qu'il réserve aux belles femmes comme toi. Pour moi, c'est clair, je finirai dans son incinérateur. Tu ne veux pas revenir s'il te plaît ?

– Ce n'est pas du tout la créature que tu imagines…

– Je n'imagine rien, je prévois.

– Regarde !

D'un renfoncement au-dessus du lit, elle a extirpé des baskets, un pull à capuche. Elle les porte à son nez pour respirer leur odeur.

– Un jeune homme, identifie-t-elle. Il sent le goudron de Norvège sous une couche d'oignon frit. Grand, pointure 44…

– Ça ne te gêne pas de lui faire les poches ? Dépêchons-nous, Lorraine, vraiment. La nuit tombe sans lune.

Le lendemain soir, j'ai rendez-vous avec Marie au cinéma, dix minutes avant la séance. Je la vois arriver vêtue tout en noir, avec d'immenses boucles d'oreilles, maquillée avec outrage – une gitane en deuil, dans une souffrance qui, pour sortir, réclame la vengeance et le théâtre. Je la laisse soupirer. Nous prenons deux places. À peine sommes-nous assis qu'elle laisse tomber ses chaussures, adopte le fauteuil en amazone, les jambes repliées sous elle, un bras gracieux posé en travers des cuisses.

– Vous faites vos courses ensemble maintenant ? chuchote-t-elle.

Il y a un peu de monde alentour, des adolescents devant, quelques anciens derrière…

– Oh, ça va, ce n'est pas ce que tu crois. Elle est adorable. Elle a rempli les placards de tout ce que j'aime manger…

On dirait que Marie vient de prendre une gifle. Elle se ressaisit aussitôt :

– Et le champagne ? Tu ne bois pas d'alcool. C'est son anniversaire ?

Je lève les yeux au plafond, en proie à une rage incontrôlable. Que des espions pareils puissent exister, de tels délateurs, de tels sycophantes, paraît tout à coup révoltant. Se croit-on libre, loin de tout, qu'au même moment on est observé, commenté… « En province, si tu déplaces une pierre sur un chemin, la nuit, il y aura toujours quelqu'un pour le voir. »

– Eh bien non ! je crie en me levant, reprenant mon manteau.

Marie s'est recroquevillée dans son fauteuil, terrifiée, elle a horreur du scandale.

– Je ne me laisserai pas faire ! Ni par toi ni par les sycophantes, je suis libre !

Parvenu au bout de l'allée, dans le silence général :

– Libre, tu m'entends ?

– Antoine !

(Ô le son éploré de sa petite voix, l'oubli de soi au point d'intervenir en public...) La salle au tiers remplie n'en perd pas une miette, la projection n'a pas encore commencé, nous tenons lieu d'avant-programme. D'un coup les murmures augmentent, parmi lesquels on saisit « boulangère », « bouquiniste »...

– Tu sais ce qu'il te dit, Antoine ? (Silence menaçant.) Eh bien : au revoir !

Une dame applaudit, on ne sait pourquoi. Comme au cinéma, sans doute.

Le garde champêtre téléphone avant de venir, ce matin. Le fait est insigne, il doit vouloir éviter Lorraine autant qu'elle le fuit. Pas de danger, elle est partie assurer des animations dans un collège durant cinq jours, à Villeneuve-sur-Lot. Je connais dorénavant son programme. Elle me laisse les clés de sa maison en partant.

Elle avait du mal à s'arracher, cette fois. Je me sens bien avec toi, grognait-elle. Merveilleusement bien. En confiance. C'est rare... Tu sais comme je dis tout ? J'ai hâte de revenir.

De gros, de profonds soupirs le prouvent. Au moment de nous séparer, son Kangoo l'attend portières ouvertes, elle marque un temps d'arrêt, ses yeux bleus voyagent ailleurs.

– Allez, je n'y tiens plus.

Ses doigts s'emparent de mes joues, avant que sa bouche vienne épouser mes lèvres sur tous leurs contours, proposant une langue timide dont la mienne s'empare sans retenue, l'enroulant, l'explorant grain à grain, l'aspirant, la buvant, la mangeant, la vénérant ou, au contraire, la dominant.

J'ignorais qu'embrasser procurait de telles sensations. Elle, je ne sais pas, je ne sais plus rien, nous perdons la notion du temps, aussi bien elle que moi, notre baiser invente de nouveaux baisers, nous n'en finissons pas de nous découvrir au plus intime, dans la caverne. Au plus spontané, au plus offrant, au plus généreux.

Nous nous quittons millimètre après millimètre, en chancelant. Nous remettons de l'ordre dans nos tenues, nous récupérons nos esprits sans un mot, ni nous lâcher des yeux. Enfin :

– Tu m'attendras ? demande-t-elle comme si elle devait s'absenter plusieurs semaines.

– Le moyen de faire autrement ?

Le passage à l'heure d'hiver a eu lieu dans une atmosphère exotique, des pics de chaleur qui n'avaient pas été atteints jusque-là. Les lilas blancs, la véronique fleurissent à nouveau. J'ai trouvé une coccinelle sur la table. Le plaisir d'un café sur la terrasse, vers dix heures, se double d'un soleil plus haut dans le ciel.

– Il y a du nouveau, annonce Marco. *Ta* copine a un don avec la divination, toi aussi d'ailleurs… À la mairie, ils se sont mis dans l'idée que je pourrais être responsable de la sécurité au camping municipal, la nuit. Pas beaucoup de boulot : encaisser les camping-cars le matin, ensuite toute la journée de libre… À six heures du soir, avant de gagner le mobil-home de fonction, une tournée d'inspection à bord de mon nouveau véhicule, un VTT…

– Qu'est-ce que tu en penses ?

– La chèvre broute où elle est attachée. Sans compter que l'été, bronzé jusqu'au trouduc, à moi les minettes !

– Mais encore ?

– Rien que ça, je te dis ! Les souris en bikini, au paradis en vrai, on en rêve tous, non ? Qu'est-ce que tu veux de plus ? Ah ouais, je sais, un livre... Vous êtes bizarres, vous autres. Au fait, où vous en êtes, avec ta, hem, voisine ? Vous avez conclu ?

Je ne vais pas lui raconter qu'un seul baiser m'a paru plus profond, plus inouï, plus envoûtant que ce à quoi il pense.

– Pourquoi ça finirait au lit, d'ailleurs ? je demande. C'est en général par là que ça commence...

– Donc vous n'avez pas commencé. J'ai du mal à vous comprendre, les intellos. Des fois, je te jure, c'est comme l'autre artiste... T'as retrouvé ton voleur, à ce qu'il paraît ?

Je croyais que Jonas et moi étions seuls à savoir, je reste abasourdi. Marco effleure la tentation de me laisser mijoter, y renonce.

– Le *gonze* fait du feu en zone protégée, c'est interdit. On l'a repéré, on m'a envoyé lui rappeler que la loi existe.

– Tu l'as verbalisé ?

– Certainement pas. Tu as vu avec quoi il se chauffe ? Un poêle. Bon d'accord, il stationne dehors, il n'est pas raccordé, le poêle, et alors ? On n'a plus le droit de s'abriter ou de se chauffer au milieu de la nature ? On n'autorise plus un homme à se débrouiller avec seulement ses mains ? Il y a les ordres, pour sûr – mais je n'aurais pas tué Blanche-Neige dans la forêt, moi non plus... Les jeunes, ils vont vite, ils sont plus intelligents que nous. Tu n'es pas le seul à les bader.

T'as vu celui-là, le numéro ? Il a déjà tout vécu, ce type-là. Il en sait autant que nous réunis, et puis un paquet d'autres comme nous, tu ne crois pas ?

– C'est un comédien. Il est beaucoup de personnes.

– À vingt-cinq ans, Antoine !

– Figure-toi qu'à cet âge-là, il y en a qui sont déjà trop vieux. Jonas vient de Paris. Ils sont rapides là-bas.

– T'as raison, il n'habite déjà plus dans la caravane. J'y suis retourné plusieurs fois. Il paraît qu'il crèche maintenant chez la brocanteuse à l'entrée du bourg. Il arrive au crépuscule et repart au matin, comme les oiseaux… Tu connais Laurence, elle en profite pour accumuler ses restes au-dessus du campement. Leurs petites affaires les regardent, mais pour ce qui est de celles qui rouillent, je me demande si je ne vais pas intervenir…

Laurence, que je vois parfois, est une lectrice exigeante, pour qui lire ne constitue pas obligatoirement une partie de plaisir, elle lit vers le haut, Habermas, Morin, Foucault… On ne peut, au passage de telles lectrices, qu'ôter son chapeau.

Pour le reste, un tempérament affirmé, toujours prompt à jaillir, alimente sa chaudière, la colère lui tient lieu d'aliment. Quand cesse enfin cet état de révolte, sa vraie douceur, sa délicatesse, ses qualités éclatent à leur tour, et l'on se prend à rêver d'une Laurence amputée de son pire défaut, puisqu'il empêche même d'en apercevoir d'autres. N'importe qui sait, en l'abordant, que s'il continue à la fréquenter, il fera l'objet de son prochain repas, une brouille crue.

Ainsi, peut-être, Laurence défend-elle des yeux, un visage admirable, une crinière gitane semblable à celle de Marie, une silhouette qui n'a pas connu d'enfant. À cinquante ans, elle vit seule, régnant, à l'orée du village, sur un dépotoir artistement orchestré.

Marco a incliné la tête sur le côté, le regard entendu, nous les imaginons emmêlés. Cependant, « un gars de première », finissons-nous par conclure, jugeant de Jonas. Hardi, vaillant, courageux. Il a dû commencer à traverser, c'est impossible autrement, une zone de turbulences, cela s'apparente au rodéo, combien de temps tiendra-t-il ?

Je note que les espions contre lesquels je pestais hier, j'en fais dorénavant partie.

8

Pour son retour, puisque j'étais censé l'attendre dans la compagnie muette de la Veuve Clicquot, née Ponsardin, j'allume des bougies dispersées dans la cuisine. J'enfourne du bois dans la cheminée comme s'il s'agissait d'une chaudière de locomotive. Quand la nuit remonte sur elle la couverture, dès six heures de l'après-midi, la température avoisine le zéro. On est saisi, passé la porte, autant par le froid que par de grands ciels purs, où les étoiles fourmillent sous les constellations d'hiver.

À l'intérieur, d'autres scintillements animent les couverts placés à côté des assiettes, aussi les verres sur la table, les carreaux aux fenêtres, les casseroles suspendues. La chaleur s'est emparée des moindres recoins. Cela tient d'un Noël intime, enfin réalisé quand Lorraine débarque, les bras chargés de cadeaux, de victuailles encore, dont des pruneaux diversement fourrés.

Les chattes, oublieuses de leurs différends, se rejoignent à portée d'elle, mendiant un signe de reconnaissance. J'avais oublié l'éblouissement que procure son sourire. Elle trépigne de joie. À peine a-t-elle fini de déballer ses paquets qu'elle saute dans mes bras, se suspend à mon cou, manque me flanquer par terre.

Enfin c'est un baiser comme un autre voyage, on sait qu'on est parti, quand est-ce qu'on reviendra ? Nos lèvres écrasées, mordues, mouillées, préviennent que nous nous aimerons sans retenue, nos langues se racontent de quelle façon suave, impérieuse.

Elle m'a adossé à l'évier, sa poitrine épouse la mienne, nos ventres se rejoignent. Dès lors, ce qu'ils esquissent accroît le message conçu dans le secret des bouches. Les mains, qui n'en font qu'à notre gré, achèvent de le compléter. Nous gagnons la chambre sans cesser de nous caresser.

Puisqu'il faut nous quitter, le temps de nous déshabiller, abrégeons-le – une course que Lorraine perd dans un éclat de rire, à une chaussette près. J'ai juste le temps de soulever la couette avant qu'elle fonce en dessous.

Nous nous empoignons, nous nous pétrissons, nous nous léchons, nous nous mangeons. Revenus au calme, nous visitons nos jardins respectifs, jusque-là séparés par une haie, en nous tenant par la main. Nous nous explorons avec le nez, avec les lèvres, avec tout ce que nous trouvons de peau inédite. Nous nous caressons ventre à dos. J'avais fait vœu, en pareil cas, de redessiner avec les lèvres la licorne bleue. Hourra ! Noël !

Ou presque. Lorraine vient sur moi. La couette est depuis longtemps passée par-dessus bord. La lampe de chevet éclaire nos ébats. Elle ne cache pas qu'au moment, enfin, de ne faire plus qu'un, mon trait d'union jusque-là flambard, baisse soudain la tête, rechigne, nous échappe, s'enfuit. Nous cherchons à le rattraper, peine perdue. Si cet idiot pouvait se cacher parmi les poils, sûr qu'il le ferait. En attendant il forme un champignon sous lequel ne pourrait s'abriter, quand la pluie tombe, que le plus petit des lutins.

Lorraine l'inonde de ses cheveux blonds.

– On se reverra, dit-elle. Ça ne se passera pas comme ça. En attendant j'ai soif, j'ai faim, j'ai soif…

Nous titubons un peu, revenus dans la chambre, elle d'avoir séché la Veuve, moi de fatigue, il doit être au moins onze heures. Une minute de plus et la terreur de manquer de sommeil commençait à m'étreindre.

On dit que l'ivresse de ne pas dormir favorise… Mais oui, c'est vrai, ça marche ! Remettons-nous vite en position, ne bougeons plus… Rien à faire, un lapereau averti en vaut deux, le voilà qui détale à l'entrée comme s'il y avait vu un furet. Instantanément.

On se fait d'autres trucs, on se fait mal. On s'endort l'un au-dessus de l'autre. On se réveille enchevêtré au milieu de la nuit pour s'emmêler autrement. Je rêve ou bien on s'embrasse pour de vrai ? Une seule consigne, ne pas se désunir. Sur mes pieds la plante de ses pieds.

Je me lève avec le jour indécis, empêtré d'un chaos de nuages. Quelques gouttes tombent, qu'efface un vent glacé. La belle dort et dormira encore tandis que je ranime le feu, prépare du café. Puisque je n'attends plus rien de l'avenir immédiat, mon unique souhait étant exaucé, gisant dans la chambre, je décide de ressortir le panonceau « Fermeture exceptionnelle », puis je sors l'accrocher à la porte de la bouquinerie. J'entreprends ensuite un ménage en grand, lavant, chantant, frottant.

Nous prenons un long petit-déjeuner au cours duquel elle s'assoit parfois sur mes genoux. Ses doigts posés sur ma tête, en la tapotant, trahissent son humeur. Elle boit beaucoup de thé et prévient « Je vais me laver les mains » lorsqu'elle se rend aux toilettes. La première fois, je lui ai fait remarquer qu'un évier se trouvait à proximité, avant de comprendre et de m'affliger.

À ce stade du naturel, du rien-à-cacher, elle me parle de ses amoureux, des garçons avant moi, en grignotant de façon absente sa tranche de pain grillé. Tous étaient attendus, raconte-t-elle, d'une façon ou d'une autre. Toi tu n'apparais nulle part.

– Eh ben tu vois, je réponds, la preuve cette nuit. Je ne voulais pas être dans ta liste.

– Mais non, ce n'est rien du tout, ça ne compte pas, ne t'en fais pas…

Lorraine se trémousse sur mes cuisses, un baiser fond depuis sa hauteur, ouvertement en miettes de pain grillé que je croque une à une. Je trouve de la confiture à la framboise en m'aventurant dans son palais. Les bras, les mains s'étreignent, se pressent, se pincent. Les peaux n'ont rien de plus pressé, à nouveau, que de se rejoindre. Nous filons dans la chambre d'où nous sortons cinq minutes plus tard. Je m'entends crier que ce n'est même plus la peine d'essayer.

Nous ressaierons pourtant, l'après-midi, le soir, après ou avant de longues périodes consacrées à écouter de la musique, sa tête posée au creux de mon estomac, à nous lire à voix basse les poètes que nous préférons. Le lit devient notre base, autour duquel fleurissent des mouchoirs, des bouteilles d'eau minérale, des pots de yaourts vides, pendant que les trois chattes, magnétisées par la chaleur, méditent des stratégies pour l'envahir.

Vers minuit, je n'en puis plus, Lorraine sur moi en gémit de dépit, maudit l'adversité, me griffe la poitrine.

– Il faut que je comprenne, dit-elle.

Nous étions dans le noir. Elle étend le bras pour allumer la lampe de chevet, bondit hors de la couette, saisit son sac, trouve le jeu de tarots. Lorsqu'elle revient, je remarque qu'un peu de sueur nacre encore ses épaules.

– Je vais m'endormir sur cette vision, dis-je.

– Rien du tout. Réveille-toi, tu me dois bien ça.

Elle a besoin de ma main gauche pour diviser cinq tas qu'elle dispose à la place de nos oreillers. À genoux devant, Lorraine en examine, pour sa propre information, une à une les cartes. Retire le consultant – c'est moi. Demande de nouveau à ma main gauche de tirer deux lames dans le jeu savamment réuni.

Et retourne deux femmes.

– Je te présente l'Impératrice et l'Étoile, nombres 3 et 17. Deux figures majeures… La première, presque divine, symbolise l'eau, la sagesse, les générations. Notre mère à toutes, Vénus, lui est associée. La seconde représente les forces naturelles, la jeunesse, la fécondité. L'Étoile est placée sous le signe de Mercure, le voyageur. Il pourrait s'agir de moi.

Lorraine, à présent allongée sur le ventre, a enfoui le menton dans sa main. Sous la frange de ses cheveux calmés, son regard n'a plus rien de délayé, deux pointes noires qui me clouent bien en face :

– Qui est l'Impératrice ?

Je ne lui ai jamais parlé d'Anne, elle ne m'a rien demandé non plus. Pareil pour Marie. Je préfère penser que l'Impératrice est d'un autre ordre, celui de la raison. Lorraine n'est plus une jeunette, malgré ce qu'elle en garde d'enthousiasme. Il serait peut-être temps d'attribuer un papa aux trois enfants qu'elle projette, ils commencent au moins par un. Rien ne peut, dit-elle, dévier son chemin. Quelle est cette vieille branche tombée au milieu ?

Sans compter que Marco et moi n'avons pas tort, les choses sérieuses débutent au lit. Quand ça te prend là, au ventre, la passion ravageuse, impossible de revenir en arrière, qui sait où elle nous mène ? La Raison sait. Elle se lève et dit : Nulle part, droit dans le mur, ça ne durera pas. Vous allez vous planter grave, les enfants. Des larmes et du sang.

– L'Impératrice ? dis-je. Elle nous protège…

– Je ne comprends pas.

– Demain…

– Ah non, trop facile, ouvre les yeux, regarde-moi.

– Tu l'as dit toi-même : à quoi cela nous avancera-t-il ? Imagine qu'on s'entende au lit aussi… Tu ne crois pas qu'on se fera plus de mal que de bien ?

– Ah non, je ne crois pas du tout… Mais bon, je te laisse dormir. Ne t'inquiète pas, ce n'est pas ce genre de blocage qui m'empêchera de t'aimer. Un jour, ça viendra, tu verras… Et moi, je veux voir ce jour-là. Tu n'imagines pas à quel point je suis…

– Opiniâtre ?

– Ouaip. On s'embrasse encore ? Juste embrasser, d'accord ?

Le lendemain, elle s'est levée la première, je ne l'ai pas vue partir. Au milieu de la table de la cuisine, sous les clés de sa maison, un mot :

Mon cœur est plus fort que ma raison, voilà pourquoi je t'écris. Je ne lutte pas, ça ne sert à rien. Il faut faire ce que l'on ressent, n'est-ce pas ?

J'ai le sentiment profond que j'ai encore des choses à vivre avec toi, à découvrir avec toi, à partager avec toi. Merci de m'aimer si fort.

C'est assez rare de trouver quelqu'un qui nous ressemble, assez rare de trouver l'alchimie. Je ne souhaite pas perdre ça, pas déjà. J'ai besoin de ton soutien. Attends-moi comme je t'attends, avec confiance.

Lorraine m'a prévenu, elle restera absente deux semaines, le temps de répéter un spectacle avec un musicien, au théâtre d'Argentan, dans l'Orne, en Normandie. Vu d'ici, la Suisse.

C'est lundi, congé hebdomadaire, il suffit de décrocher le panonceau « Fermeture exceptionnelle » pour bénéficier de la journée. Je la consacrerai, d'une certaine façon, à Lorraine.

Je retourne dans la forêt, en reconnaissant des endroits où nous étions passés. Elle franchit avec moi des clairières, des troncs abattus, des combes tapissées de fougères. Je peux entendre son souffle, ou bien des écorces craquer sous ses pieds. Ma peau, par mille poils invisibles et dressés, réclame d'être apaisée par la sienne.

Le soleil large, abondant, éclaire à travers les pins son visage posé sur une branche, ou flottant au milieu du sentier. J'ai l'impression que sa bouche ou sa main sont toujours à portée des miennes. Je constate *a posteriori* que je n'ai plus peur de la forêt. Plus rien de méchant, homme ou animal, ne surgira du feuillage – et cela, je le lui dois.

En souriant au ciel, je retrouve une sensation éprouvée il y a si longtemps, celle que tout est unifié, que tout œuvre dans le sens du don, de l'épanouissement, de la fertilité, du renouveau. Chaque feuille paraît repeinte à neuf, l'air contient une fraîcheur de menthe. Jean de La Fontaine, dans ses vieux jours, se déclarait prêt à donner beaucoup de choses pour tomber de nouveau amoureux. Dans « tomber amoureux », il y a « tomber », ce que je refuse. Le trop-plein de Lorraine, je travaille à l'écoper, à l'épuiser, à le dissoudre. Vers le soir, son image ne revient plus que par surprise.

Je rentre à l'heure où les chattes miaulent de faim devant la porte de la cuisine. Je vois quelqu'un, à l'intérieur, se lever de table quand j'approche du carreau. Je ne reconnais pas tout de suite Jonas rasé de frais, ses cheveux dans le cou plutôt que sur ses épaules. Il porte une « canadienne » en mouton retourné, à ses pieds riment des bottes fourrées dans un cuir fauve.

Ses yeux se sont agrandis dans ce nouveau visage glabre, lequel, quoiqu'on s'en défende, attire, magnétise. On voudrait ne pas le regarder, échapper à son éclat. On se rend compte soudain qu'on le fixe depuis trop de temps. C'est qu'il paraît s'impatienter, pourquoi rester le nez collé au carreau ? J'entre en rougissant.

– *Hello old chap* ! salue-t-il avec l'accent. Tu avais encore laissé la maison ouverte…

– C'est une manie dont j'aimerais qu'on ne profite pas.

– Faut fermer à clé alors. Regarde ce que je t'ai ramené.

Il montre sur la table un bocal de cèpes, une terrine de lapin aux noisettes, deux tartelettes aux amandes, de la confiture de cerise. Au-dessus d'un linge, des noix, des pommes…

Comme s'il avait résisté longtemps, il se désigne de la tête aux pieds :

– Tu as vu comment je suis fringué ?

– On a troqué sa liberté contre un collier doré ?

– Va pas t'imaginer des choses, je continue de vivre à ma guise.

Il a eu le mouvement de tête d'un cheval refusant qu'on le prenne par la bride. Nul ne saurait dire où son œil est maintenant orienté, vers quel idéal d'animal dans la forêt. Car Jonas compte désormais un regard de plus dans la provision que je lui connaissais. Au fond de celui-là, patiente une sauvagerie violente, brutale, pour l'heure endormie.

En lui désignant l'âtre éteint, je demande :

– Si tu t'occupais du feu ?

Son sourire revient d'une contrée où l'on a coutume aussi de se chauffer au bois, à la flamme.

Il a dévasté la terrine, ainsi qu'une bouteille de grand cru qui élève sa tourelle verte au milieu d'épluchures de pommes, de coques de noix, de miettes de pain. Le nectar provenait de mon placard, il arrive qu'on reçoive par ici, où sont des châteaux de prestige, ce genre de cadeau, des mains d'un ouvrier qui y travaille. Car il s'agit de *son* vin aussi, à l'ouvrier. Il en est fier.

Jonas agite déjà son verre vide avec une absence de scrupules sidérante. Évidemment, il feint la grossièreté et il aura beau jeu, après, d'en rire, ou de me glisser un clin d'œil complice. Cependant je ne peux m'empêcher de penser à ce qui se passerait si je ne possédais pas la sœur jumelle, née la même année de tanin puissant.

– Je t'ai mis de côté un jeune auteur encore inconnu… dis-je en la débouchant. Au cas où tu passerais à l'improviste, c'est maintenant…

– Je suis devenu insensible à la littérature, Antoine. J'ai passé un cap, je ne lis plus. J'en ai marre de ces livres qui, à force, édifient un rempart entre le monde et moi. Au lieu de cueillir chaque instant, de le transformer, de le transcender, j'ai l'impression de surplomber une citadelle dont le pont-levis ne s'abaisse plus. Je te jure, une girafe traverserait ta terrasse, là, subitement, je serais capable de chercher son nom en latin… Il est temps pour moi de lâcher ce que j'ai appris, de me défaire des milliers de pages qui m'encombrent, me ligotent. Le moment est venu de prendre la vie à bras-le-corps. Avec naïveté, avec fraîcheur, avec spontanéité. Place à l'action ! On verra bien ce que ça donnera, mais je suis sûr d'y gagner en intensité…

– Encore un individu de perdu pour l'humanité. Je le laisse se servir.

– T'as raison, pas de manières entre nous.

Il s'empare de la nouvelle bouteille, remplit son verre à grands glouglous, le boit avec avidité, flanque du vin partout. Il sait que je sais qu'il joue, aussi perfectionne-t-il son numéro, dont l'outrance est censée amuser. À la campagne, on n'a pas tant de distractions.

– Tu assures grave, bouquiniste ! Ton pinard est le meilleur que j'aie jamais bu. Je te parlais de la force, tu te souviens ? Eh bien, là-bas, dans la forêt, je suis devenu un vrai guerrier. La force, je la sens en moi maintenant, pleine, entière, qui tangue, qui remue, qui ne demande qu'à se fixer. Il lui faut un objectif. Je commence à rêver de combats, de victoires… J'ai envie de me mesurer aux hommes.

– L'appel de la ville…

– Quand j'entends le mot « Paris », je me retiens de pleurer ou bien j'ai mal au ventre – les symptômes du manque. Il me semble que si je croisais des passants, je les embrasserais. La sortie des théâtres sur les Grands Boulevards ! Le carrefour Buci encombré de monde ! La place de l'Opéra, les Champs-Élysées ! Je veux entrer dans des cafés bruyants à minuit !

Il enfouit son visage dans ses mains. Ouvre deux doigts entre lesquels son œil interroge : « J'étais bon ? »

– Tu veux que j'applaudisse ? je demande.

– Je ne plaisante pas, Antoine. Je crois que je vais retourner à Paris.

– C'est si dramatique ?

– Non : c'est puissant.

Au moment de partir, alors qu'il a endossé sa canadienne, remonté son col, je m'inquiète pour lui, qui s'apprête à s'enfoncer sans lampe dans la nuit.

Jonas rit :

– Je suis garé à côté.

Je l'accompagne. Il a laissé le 4 × 4 de la brocanteuse devant chez Lorraine, et marque un temps avant d'ouvrir la portière. Quelque chose l'intrigue ou l'attire dans cette maison pleine d'ombre, les volets clos.

Enfin :

– Sont sympas, tes voisins ?

Mentons avec franchise.

– Il n'y a personne, c'est toujours à louer…

Une semaine et quatre clients plus tard, nous sommes à nouveau lundi, mais en décembre cette fois. De courts après-midi de beau temps succèdent à des matinées empesées de brouillard, quand la brume en volutes semble vouloir entrer par les portes et les fenêtres – la fumée du marais.

Les phares qui la trouent à petite vitesse, ce matin-là, avant de s'immobiliser devant la bouquinerie fermée, appartiennent à la Citroën C5 de Marie. Elle en sort sans hâte, le sac tenu au bout de son avant-bras levé, le coude plié, dans un mouvement élégant et le crépitement de ses bracelets.

Quoiqu'elle ne travaille pas, elle aussi, aujourd'hui, Marie a sa tête des soirs de fatigue, quand le magasin, les clients ne lui ont laissé aucun répit – un museau d'écureuil vulnérable, retranché au fond de sa tanière en cheveux noirs.

– Je peux entrer ? demande-t-elle, alors que je demeure stupidement planté au seuil de la cuisine.

Son sac atterrit au milieu de la table. Marie ne se gêne pas, tandis qu'elle déboutonne son manteau, pour inspecter du regard les lieux, à la recherche d'un détail révélateur. Je l'ai accueillie dans un silence qui n'a pas été rompu depuis. Au bout d'un temps, son menton se relève, je vois qu'elle fait la fière. En réalité, elle cache qu'elle est devenue incapable de parler. Les mots sautent dans sa gorge sans atteindre son palais, on suit leur manège dans la trachée pendant que sa contenance se craquelle. Ses yeux rougis sous l'effort peu à peu cessent de résister. Une seule larme, lente à remplir la vasque sur la paupière, augure des suivantes qui se pressent derrière.

– Oh non, pas déjà ! je crie. Tu viens à peine d'entrer !

Un sanglot incontrôlable la saisit. Marie va le rencogner à l'angle du buffet, me tournant le dos, les mains en œillères.

– Je suis trop malheureuse. Je ne savais pas que je t'aimais à ce point-là.

– Tiens, voilà un mouchoir.

– Je me fous des mouchoirs. Je voulais vieillir avec toi, tu comprends ? Non, tu ne comprends pas. Je t'aurais bichonné, je me serais occupée de toi, je me serais blottie contre toi tous les jours… Passe-moi ce mouchoir.

Elle s'en empare à tâtons, l'autre bras collé à son front. Se mouche bruyamment. Semble enfin tenir bon la rampe, revenir au jour.

– La jeunette et l'homme vieillissant, le démon de minuit, c'est tellement caricatural. Pas toi… je te croyais différent. Je ne savais pas que tu pouvais tomber dans des pièges aussi grossiers.

– Tu ne me laisses le temps ni de réfléchir, ni, ensuite, de parler.

– Ce n'est pas de parler dont j'ai besoin, c'est que tu me prennes dans tes bras. Que tu m'embrasses, que tu m'étreignes.

Elle croise les siens sur sa poitrine, les mains aux épaules, recroquevillée, frissonnante.

– Mais tu ne me prends pas dans tes bras. Tu restes devant moi planté comme un poteau avec une buse posée au-dessus. Autrefois, tu n'aurais pas supporté que je pleure, tu aurais séché mes larmes une par une, tu les aurais bues…

Elle tâche à nouveau de montrer sa fierté, son menton se relève avant de se remettre à trembler. De profil, on voit une goutte perler au coin de son œil embué. Elle n'avait pas ôté son manteau. D'un geste vif, elle s'empare de son sac. Raté, un flot d'arrière-garde la submerge, la secoue.

– C'est trop con ! crie-t-elle sous l'écume de la vague qui balaie son visage.

Impossible de la retenir quand elle part en courant, sans se retourner, laissant la porte ouverte. J'attendrai, avant de bouger, d'entendre sa voiture s'éloigner sur le chemin.

Le même jour, l'après-midi – comme prévu, froid, sec et lumineux –, je rencontre au supermarché Jean-Pierre, son ex-époux, l'artisan du pain savoureux auquel je n'ai plus droit désormais. Il paraît encore plus gris et fatigué que d'habitude. On dirait qu'il vient seulement de se réveiller, après une dernière donne, au petit matin, qui l'aura ruiné.

Nous échangeons un signe de tête avant qu'il s'arrête, émerge du coma, pousse son chariot dans ma direction.

– Je cherche les fruits secs, improvise-t-il. Des figues. Tu ne saurais pas où est le rayon ?

– Vers les oranges, les fruits crus (je lui montre le coin opposé).

– Faut être gentil avec Marie. Elle ne porte pas d'armure. Ses organes vitaux – dont le cœur – se situent près de la peau. Ne la laisse pas prendre froid. Elle va nous tomber malade…

Jean-Pierre a parlé le regard en dessous, accoudé avec simplicité à son chariot, comme au zinc d'un bar.

– Ça ne te regarde pas, elle et moi, je réponds. Ni personne, d'ailleurs.

– Mettons que ça me concerne tous les jours que je bosse avec elle. Et qui ne figurent pas, en ce moment, au palmarès des plus gais qu'on ait vécus à la boutique. Marie n'est pas en béton, plutôt une statuette fragile, antique, égyptienne ou grecque je dirais… Un choc, une maladresse peuvent la réduire en poussière…

– C'est quoi ce pays, où l'ex demande au suivant d'être gentil ? Tu voudrais que je lui mente ? Et puis de toute façon c'est ma vie. Qu'est-ce que tu viens foutre dans ma vie ?

– Bon, au moins *nous* sommes fixés. Désolé que tu le prennes comme ça…

Jean-Pierre se redresse, l'air accablé. Empoigne à nouveau son Caddie.

– Je te prie seulement de faire attention à elle, dit-il. N'oublie pas d'être élégant, charitable. Ne lui fais pas mal.

– Ça va, j'ai compris. Tu es quelqu'un de bien, Jean-Pierre. Or les gens bien, en ce moment – et je sais pourquoi – me font chier.

– Moi le premier ?

– Yep, camarade.

Neuf caisses sur douze fonctionnent, sous lesquelles les chariots s'engouffrent sans répit. Au moment de déposer le mien sur le tapis, je reconnais Jonas, à une file de là, un Jonas radieux, éclatant. Derrière lui se cache Laurence la brocanteuse. Lui aussi m'a vu et m'adresse de grands gestes d'aéroport.

– Eul'bouquiniste ! crie-t-il avec enthousiasme. Comment va ?

Le raffut, d'un coup, cesse autour de nous, le bruit mettra un temps avant de reprendre. Je fais signe du pouce, tout est OK, pas de problème. Jonas porte sa canadienne, le col en mouton retourné accueille ses cheveux en boucles lumineuses. Sa stature, ses épaules, en plus du vêtement, achèvent de l'apparenter à un bûcheron qui, depuis le Labrador, aurait traversé l'Atlantique droit devant lui. Laurence, tapie dans son ombre, Laurence, qui est pourtant ma cliente depuis des années, me jette un regard où luisent des crocs. Un message s'affiche : défense d'approcher.

Mais garde-le, ma grande ! Tiens-le bien serré, qu'il ne retourne pas vagabonder. Surtout qu'il ne s'échappe pas, qui sait où cela le mènerait ?

Dans ma cuisine, avec Voisine.

Lorraine doit arriver tard ce soir. Comme je ne présume pas qu'elle dormira chez moi – aucune indication dans ce sens –, vers cinq heures, quand la nuit s'étend sur le sol glacé, je prends ses clés, je vais allumer ses chauffages. Que ce soit confortable, quand elle reviendra.

J'ouvre pour la première fois sa porte. Elle m'avait prévenu, il n'y a rien aux murs, pas de meuble, aucun effort de décoration, seulement des pièces laissées vides, et que la chaleur des convecteurs met du temps à gagner. Il existe bien une cheminée dans le living-room, en bas, mais la quantité de choses diverses qui y ont été à moitié brûlées, puis abandonnées, dissuade d'y flanquer le feu à nouveau.

Au milieu de sa chambre, à l'étage, un lit en bataille résiste à l'assaut de vêtements usagés. Dans une autre, plus petite, une pile de cartons pas défaits, son bureau échevelé de papiers, semblent avoir été punis, chacun dans leur coin. La dernière, un réduit, abrite l'épouvantail Martin, un mannequin rembourré que Lorraine utilise pour un spectacle. Martin, assis sur des sacs de voyage, bras écartés, semble souhaiter « Bienvenue au carnaval ! » Trois peluches qui ont vécu – au moins vingt ans d'âge –, entourent affectueusement son pied. Sur une étagère, je reconnais quelques vieux exemplaires du *Journal de Mickey* qu'Inès n'a pas jetés, du temps que sa famille habitait là.

Dans la cuisine, c'est le chambard. On aura eu des velléités successives de vaisselle. Elles se sont accumulées. De surcroît, le contenu des placards, aux portes restées ouvertes, a été répandu un peu partout (une coutume des Hauts-de-France ? Une mesure antisouris ? Contre les mites alimentaires ?). Je remets ses ustensiles, ses provisions en place. Retrousse mes manches, attaque la vaisselle.

Nous en avions parlé tous les deux : où habite-t-elle ? Nulle part en réalité.

– Tu te fixeras quand tu auras des enfants…

– Pas question. Je les élèverai sur la route.

Ce qui lui conviendrait, ce serait un homme de ménage. Un cuisinier. Un chauffeur, un organisateur. Je ferais réparer ma vieille camionnette, on afficherait son prochain spectacle dessus. À moins que j'en achète une neuve. Et si je vendais la baraque ? La maison, le commerce…

Attends, là, c'est grave, réfléchis. Tu serais capable de bazarder l'endroit, d'abandonner la région – et puis ta vocation – pour balader Lorraine en fourgon ? La réponse est oui. Soyons fou, pour une fois dans cette vie. J'en ai assez d'être sage. Et après, quand ce sera fini ? *No future* ! Ce que promet, de toute façon, mon âge…

Tout de suite après avoir vendu la maison, on partirait ensemble, on voyagerait, même… Je sais où on irait : en Patagonie.

Le carrelage gras, collant, ne semble pas avoir été lavé depuis que Lorraine est entrée dans les lieux. Elle ne possède pas non plus de quoi le nettoyer, je vais chercher le nécessaire chez moi, je reviens – dans l'évier désormais étincelant, je remplis des seaux d'eau mousseuse, avant de frotter le sol comme s'il s'agissait de celui de la bouquinerie.

Ce ne devrait pas être bien compliqué, de devenir son manager. J'ai vu ça dans un film. On se procure un costume, on démarche des propriétaires de salle – dans son cas, des groupes scolaires, des colonies de vacances… On reste caché derrière le rideau, prêt à la rassurer quand elle quitte l'estrade. Au fond, il n'y faut qu'un peu de culot, ou d'audace. Je n'en possède pas. Nécessité fait loi, j'apprendrai. Ce ne doit pas être difficile, beaucoup en ont.

Je récure derrière les tuyaux en répétant à voix haute, jusqu'à obtention du ton parfait :

– Maintenant, ne bougez plus, restez assis, vous en aurez besoin, je vais vous présenter quelqu'un… Lorraine, tu peux venir s'il te plaît ?

9

Le lendemain matin, 11 décembre, fini de rigoler, la température est descendue à moins sept degrés, ce qui est exceptionnel pour la région. Ailleurs en France, nous apprend la radio, des records de froid sont atteints : moins quinze à Strasbourg, moins dix-sept dans le Doubs… Les bulletins d'information font état de nombreux accidents de voitures, certains autocars scolaires n'assurent plus de ramassage, des coupures d'électricité surviennent.

Lorraine est rentrée, en témoignent son Kangoo garé devant sa maison et ses volets ouverts. Je ne sais pas ce que j'avais imaginé, le premier jour après son retour. Qu'elle débarque chez moi, d'abord, sans doute… Sur la table de nuit, près de mon lit, trônent en évidence les mots qu'elle m'a écrits : *J'ai besoin de ton soutien. Attends-moi comme je t'attends, avec confiance*.

Cette dernière vacille à mesure que Lorraine n'apparaît pas – je ne la verrai ni ce jour, ni le suivant. Peut-être s'est-il passé quelque chose à Argentan, dans l'Orne ? Qui est ce musicien avec lequel elle devait répéter son prochain spectacle ? Et si j'apprenais tout de suite l'audace, le culot ? Il suffirait de frapper à sa porte, toc, toc : « Salut ma belle, besoin de rien ? »

Ou bien la vérité : « Je me faisais du souci… »

Notre connivence est telle, cependant, notre arrangement si défini – elle s'est toujours invitée, moi jamais –, qu'il y aurait moins de courage à lui rendre visite que de maladresse. Compte tenu de son tempérament, me montrer intrusif, ne serait-ce qu'une fois, équivaudrait à perdre de nombreux points. Je pourrais inventer un prétexte. Elle s'en apercevrait tout de suite.

À l'exception de tourterelles angoissées, on n'entend plus d'oiseaux. Parfois un âne brait au loin, dans un bruit de porte récalcitrante. À peine les prés exposés au soleil dégèlent-ils, devenus spongieux, qu'avec le soir, le froid les fige à nouveau, les tartinant de sucre blanc. Chaque matin, on pourrait croire qu'il a neigé.

Que peut-elle bien faire dans sa maison dont, seul signe de vie, la cheminée a été remise en fonction, et fume sans discontinuer ? Quant à moi, je travaille sans relâche, accumulant les cartons que Diego, l'employé taciturne de Mme Wong, ne vient plus charger, pour l'instant. Sage précaution. Il y a deux ans que, dans un virage givré, le Philippin s'envolait à bord de la camionnette, avant de rencontrer un sapin dont on peut encore admirer, au bord de la route, le tronc déchiqueté.

Parmi les coups de feu qui retentissent sporadiquement du côté du marais, quelques-uns peuvent être attribués à Marco. Le temps n'est idéal que pour les canards qui s'abattent en bandes au milieu des roselières, et pour les chasseurs qui, à force de leurres, d'appelants, ont su les convaincre de se poser devant leur *tonne*, leur hutte, et pas une autre.

Parfois encore, un épagneul ou un setter émerge de la forêt, la clochette au cou, l'air affolé. On ignore quel tropisme aiguille invariablement ces chiens en direction de la bouquinerie, puis de la terrasse qu'ils traversent en cavalant bruyamment, sans s'arrêter, sous le regard outré, par-delà les vitres, des chattes demeurées à l'intérieur.

Le surlendemain, Sainte-Lucie, le froid a encore empiré. Le thermomètre sous la glycine affiche à l'aube moins douze degrés, ce qui est inédit par ici. La radio fait part, cette fois, de nombreux départements en vigilance orange, ainsi que d'un carambolage monstrueux en Normandie, où il est tombé une pluie verglaçante. Heureusement que Lorraine ne séjourne plus là-bas.

Déjà que le lecteur était rare, je ne sais plus à quoi ressemble un client, j'ai oublié. Je persiste cependant à ouvrir la boutique. La masse d'air en provenance, paraît-il, de Scandinavie, augmente le tirage du poêle dans lequel je ne cesse d'enfourner des bûches. Ces dernières craquent, flambent et disparaissent avec autant de facilité que des allumettes.

Enfin vers dix heures retentit la clochette de l'entrée. C'est elle, plus blonde, plus souriante, plus lumineuse que jamais. Elle porte un caftan à manches longues, richement brodé, une toque assortie, comme si son cheval ou son traîneau l'attendaient plus loin. Elle tient dans ses bras un volumineux bouquet de roses rouges, une trentaine au moins, et ne semble pas vouloir entrer.

Avant que j'aie pu faire un geste :

– Merci pour les fleurs, exulte-t-elle.

C'est un beau bouquet – surtout pour la saison.

– Mais ce n'est pas moi… dis-je.

– Comment ça ?

Elle l'éloigne à bout de bras, comme s'il puait tout à coup.

– Je répète, je n'y suis pour rien. Où l'as-tu trouvé ?

– Sur mon pare-brise, il y a cinq minutes…

– Aucun mot joint ?

– Si, tiens, le voilà.

Elle se penche pour extirper de sa poche en oblique une petite carte beige sur laquelle est écrit, dans une calligraphie enfantine : *De la part d'un admirateur*. Pas de signature.

– Eh bien je ne suis pas le seul, constaté-je.

J'ai tâché de la faire sourire à nouveau, peine perdue. L'angoisse – une angoisse disproportionnée – s'est emparée de ses traits.

– Si ce n'est pas toi, qui alors ? demande-t-elle d'une voix altérée.

– Un véritable admirateur. Quelqu'un qui a vu ton spectacle et qui sait où tu habites…

D'un coup, elle paraît au bord des larmes. C'est la première fois que je la sens aussi vulnérable – et Lorraine, oui, j'ai envie de la prendre dans mes bras, de la protéger. J'avance une main vers son épaule, elle se dérobe.

– Ne me touche pas, dit-elle.

Son ton a grimpé dans l'aigu.

– Prends plutôt ces fleurs, je n'en veux plus.

Tout juste si elle ne me fourre pas de force le bouquet dans les bras. Son regard a changé, devenu métallique, suspicieux à mon égard – paranoïaque en plein.

– Tu ne vois vraiment pas qui ? demande-t-elle encore.

Je sais à qui elle pense. Comme moi, à Marco, revenu sur ses positions et repentant. Elle ignore que mon fier ami ne revient pas frapper aux portes claquées, jamais. Il existe une deuxième solution vers laquelle je glisse, et dont hélas je ne puis l'informer : Jonas.

Il l'aurait épiée, elle aussi, et se déclarerait, une fois de plus, à sa façon, captieuse, insidieuse. Il entre dans les attributions de M. Givenchy non seulement de soustraire, mais aussi d'ajouter. Un bouquet de comédien lui ressemblerait assez.

J'ai réfléchi quelques secondes de trop. Elles suffisent à Lorraine, je le vois, pour se persuader que je ne suis pas innocent.

– Ça suffit, dis-je, j'imaginais d'autres retrouvailles…

Elle se ferme aussitôt comme une huître perlière, parce que j'aurais laissé entendre, comme cet admirateur mystérieux, comme certains hommes, que je voulais sa perle. Ces quinze jours d'absence l'ont considérablement éloignée de moi.

– Tu as vu ta cuisine ? je tente, enjoué.

– Quoi, ma cuisine ?

On dirait que Lorraine va me mordre, elle se reprend. L'ombre de son sourire revient de loin.

– Ah ouais, nickel…

Demi-tour. Déjà elle repart en direction de sa maison, ses cheveux plus bouclés que d'habitude chevauchant son caftan et lui battant les reins.

– Eh, oh ! je crie, encombré du bouquet. Je te revois quand ?

Elle a un geste évasif par-dessus sa toque, lequel peut aussi bien signifier qu'elle en a ras-le-bol de moi. Des hommes. De tout.

En début d'après-midi, je ne sais ce qui m'avertit – un bruit de voix sur le chemin, à moins que la paranoïa de Lorraine n'ait trouvé un sujet facile à contaminer –, je jurerais que quelqu'un rôde autour de sa maison.

Je vais voir. Le Kangoo garé devant atteste de la présence de Lorraine. Notre voisin commun, Jean-Louis, pour l'heure dépourvu de machine, attend mains aux hanches qu'elle veuille bien se montrer à l'étage. Je m'apprête à lui demander ce qu'il a mangé, au déjeuner, quand il m'interpelle :

– On dirait qu'il n'y a personne !

– Pourtant la cheminée fume.

– Figure-toi que j'avais remarqué.

Il place ses mains puissantes en porte-voix, il gueule, j'en ai mal aux oreilles :

– Ma-de-moi-selle !

À l'étage, une fenêtre s'ouvre, Lorraine apparaît, que nous sortons d'une sieste. Ma présence l'autorise peut-être à répondre enfin.

– C'est moi qui vous ai offert les fleurs ! hurle Jean-Louis. Je vous ai entendu conter à Villeneuve-sur-Lot. Je me suis dit, c'est ma voisine !

– Attendez, je descends.

De près, on voit que sa joue gauche a gardé la trace de l'oreiller. Je me rappelle, quand nous partagions le même lit, qu'elle dormait comme un bébé, le pouce jamais loin de sa bouche entrouverte.

J'ai déjà dit qu'elle était grande. Jean-Louis la surplombe. À quelques centimètres d'elle, il semble vouloir la manger – et même, n'en faire qu'une bouchée.

– Ce que c'est que le hasard ! continue-t-il, enthousiaste. Je suis allé vous écouter avec mes neveux, mon frère, ils habitent Villeneuve. Vous êtes formidable, vous savez… Je tenais à vous féliciter, mais impossible d'approcher, vous avez votre public, hein, comme on dit… Antoine, tu as déjà vu son spectacle ?

L'agriculteur se tourne vers moi, sa mine réjouie se décompose à l'instant. J'ai souvent l'impression, lorsqu'il me regarde, de figurer un sac de déchets qu'on aurait balancé dans son jardin par-dessus la clôture. Rien que d'exister, je l'indigne, je le révolte. Même pas le temps de lui répondre :

– Bref, reprend-il à l'adresse de Lorraine, vous avez beaucoup de talent, mademoiselle. Des histoires pour enfants ! Jamais je n'aurais cru que je serais captivé à ce point, jamais. Avec ça que vous êtes belle comme le mois de juin… Vous savez à qui pensait Dieu, le jour qu'il vous a faite ? À une déesse, *pardine* ! Elles vous ont plu, les fleurs ?

Lorraine me fixe comme si je pouvais lui souffler la réponse. Ce détail n'échappe pas à Jean-Louis :

– Qu'est-ce que vous avez besoin de lui pour traduire ? Parlez selon votre cœur. Ici vous êtes à la campagne, vous avez remarqué ? Et, à la campagne, on ne s'embarrasse pas de simagrées. Regardez-moi : est-ce que je n'ai pas l'air net et franc avec vous ?

– Si… avoue-t-elle, et l'eau profonde de ses yeux scintille tout à coup comme si des poissons la traversaient.

– À la bonne heure ! Je vous ai couru après, vous n'êtes jamais là. En ce moment la cheminée fume, je me suis dit, té, vé, là au moins je vais la trouver. Après le spectacle, avec tous ces *drôles* qui vous collaient au train, on aurait dit que vous portiez une robe en gamins. Vous leur faites toujours cet effet-là ?

Lorraine toussote, puis :

– Ouais, j'aime bien les enfants.

– Est-ce que vous aimez manger, aussi ?

– Pardon ?

Il s'approche, la fixe d'un peu plus près :

– Parce que moi, j'adore manger. Il y en a qui voyagent – comme vous. Et puis il y en a qui se déplacent, qui s'élèvent, qui grimpent dans l'atmosphère rien qu'en s'asseyant devant leur assiette. Encore faut-il qu'elle soit garnie d'exquis ! Vous avez déjà été dans un *très* bon restaurant ?

– Ça a dû m'arriver, concède-t-elle.

– Eh bien, oubliez-le, oubliez-les tous, ce sont des bauges à cochons. L'endroit où je vous mènerai date d'avant les surgelés, d'avant le pasteurisé. Jamais plus vous ne mangerez des légumes, des viandes pareilles, avec autant de goût ! Si je pense aux desserts, malheur ! Mais c'est à fondre, soi-même, comme du chocolat chaud ou du miel d'acacia. Je ne parle pas du vin, ils ont les meilleurs du monde, c'est-à-dire ceux d'ici.

– Qui ça, ils ?

– Comment, qui ? Eh bé, moi ! Moi, je vous emmène, quand vous voulez. Il suffit de me dire.

– C'est une invitation à déjeuner ?

Jean-Louis, une seconde, serre les mâchoires. Faudrait peut-être pas trop le promener en bateau, lui.

– À dîner, je préférerais... Ça va avec les fleurs, dit-il.

– Je vois.

Lorraine, qui se tenait jusque-là non loin de la porte restée entrouverte, un pied dans l'herbe et l'autre sur le perron, me rejoint en quelques pas rapides. Elle passe dans mon dos avant d'appuyer une main sur mon épaule :

– Pourquoi pas ? dit-elle. Un déjeuner, un jour, tous les trois, avec Antoine...

Au tour de Jean-Louis de s'empourprer, une cuisson au four durant laquelle un bref regard m'est destiné.

– Eh bien, euh... Évidemment. Pari tenu ! Un beau jour, je veux dire à la belle saison. Chiche ?

Lorraine a passé son bras autour de mon cou, d'une main je caresse son dos.

J'attends que Jean-Louis se soit éloigné pour oser :

– Quel culot !

– Ne profite pas de la situation, répond-elle. Cet homme a beaucoup de charme.

– Du charme ? je grimace.

– J'appelle ça comme ça, pour simplifier… Tu me ramèneras le bouquet ?

Je réponds avec une joie mauvaise que je l'ai flanqué au compost. Plus un mot de sa part. Le bras dénoué, ses doigts lissent à présent, dans un geste machinal, mes cheveux à rebrousse de leur brosse grise, poussiéreuse. J'ai gagné sous ses vêtements, à la naissance de son épaule, le début d'un muscle au très pur ovoïde, sous la paume parfait.

Quelques clients dans l'après-midi – beaucoup, pour la bouquinerie. Une vingtaine, dont certains en même temps, vers dix-sept heures, au crépuscule.

Lorraine surgit, qui ajoute encore au nombre, vêtue du pull sans forme qu'elle portait ce matin.

– Ça fait plaisir à voir, autant de monde… murmure-t-elle par-dessus ma table de travail.

– C'est toujours étrange, le commerce, inattendu…

– Je peux rester un peu ?

Elle file au mur tapissé de poésie, feuillette rapidement – ce soir la poésie n'est pas son truc. Je la perds de vue, mais non de l'ouïe, tandis qu'elle prend langue avec un jeune couple, lequel se montrait des reproductions au rayon beaux-arts.

Bientôt leurs voix à tous trois, leurs rires s'élèvent, ce qui semble déranger par intermittence les deux retraités isolés, chacun dans un coin, qui ouvrent avec méthode, comme s'il s'agissait d'une mission, absolument tous les livres en présentation.

Lorraine accompagne jusqu'à la caisse les amoureux nantis d'une pile de livres. Si j'avais été seul, ils seraient repartis les mains vides et le cœur léger. Lorraine, elle, retourne *subito presto* à la conquête d'un de ces deux vieux messieurs, presque mes contemporains, sur l'air de « Qu'est-ce que vous aimez lire, d'habitude ? », une question que je ne pose plus depuis des années.

Avec elle ça marche, le premier client, lui aussi précédé jusqu'à moi, repart avec le sourire et dix « San-Antonio ». Le second préfère, au moment où elle se tourne dans sa direction, amener lui-même sa récolte afin que j'en fixe le prix, si possible sans trop de mots, dans un regard entendu – ma nouvelle vendeuse formant repoussoir, en quelque sorte.

– Allez on ferme, dit-elle quand il n'y a plus personne.

On sent que s'il ne tenait qu'à elle, mon boui-boui deviendrait une affaire du tonnerre.

– Houla ! Il reste encore une demi-heure…

– On ferme, on va faire ensemble la cuisine chez toi, tu veux ? Si tu n'as pas de quoi, je vais chercher ce qu'il faut à la maison. Ce soir, je n'ai pas envie de rester seule.

Merci Jean-Louis, à bien des égards. Cela fatigue, à la fin, d'être pris pour un homme comme les autres. On se retrouve en un clin d'œil à la cuisine où je me lave les mains tandis qu'elle s'affaire. Les trois chattes sont rentrées. Je lui sers une bière Duval, on pèle les pommes de terre ensemble. Voilà pour la vision sans le son.

En réalité, la cuisine résonne de sa voix, de ses éclats, de ses inflexions, de son chant, un pinson joyeux la plupart du temps, et qui n'hésite pas, dans le feu de ses trilles, à jeter des pommes de terre sur le buffet, plutôt que dans la bassine où l'eau les attend.

Lorsqu'on l'écoute attentivement, sans le lâcher, son discours s'avère riche, précis, renseigné, plein d'humour, y compris à son égard. Une mémoire redoutable l'irrigue – les dates, les noms. Sans compter les mots placés çà et là, dus au métier, des mots qui vous prennent en otage, du genre : « Vous ne croyez pas ? »

Laissez-vous faire, Lorraine tisse sa toile de récits autour de vous, sans les achever, sans en perdre le fil non plus. Quand son ouvrage commence à apparaître, délicat, retors dans sa complexité, son œil s'allume derrière une buée de reconnaissance. Faisons-lui confiance. Certaines fois, à la fin, les fils sont si rapidement, si habilement déliés, que cela tient du tour de magie, avec envol de pigeons. On voudrait applaudir, c'est le moment qu'elle rentre en elle, à l'abri de sa frange. Elle en ressortira quand elle voudra.

Oui, ses quinze jours en Normandie ont été constructifs, son spectacle prend forme – à motifs mauresques. Des contes arabes… Je lui aurais suggéré l'idée, dit-elle, avec la *Rihla* d'Ibn Battûta, ce voyageur du XIVe siècle. Le musicien qui l'accompagnera durant la tournée, un polyinstrumentiste, s'est pris de passion pour l'oud – un luth oriental.

Un peu de mousse brille au-dessus de ses lèvres. Plane une légère odeur de bière.

– Une histoire t'est spécialement dédiée, dit-elle. Je n'ai pas pu ne pas penser à toi en l'apprenant. Il s'agit d'un cultivateur, d'un fellah des bords du Nil, vers Khartoum. Il ne possède rien d'autre qu'une masure en torchis, mais elle donne sur un jardin attenant où, depuis des générations, pousse une treille aux raisins savoureux. Au fond domine un immense figuier, aux récoltes abondantes. Près de son pied coule par intermittence une source infime, un ruisselet que tâche de contenir un abreuvoir, tu le vois ?

– En quoi, l'abreuvoir ?

– Une auge creusée dans la pierre. Souvent le cultivateur va s'asseoir dans ce coin-là, à l'aurore, avant que le soleil émerge, le soir, quand l'astre brûlant disparaît enfin. Il est encore vivant aujourd'hui, et fin prêt pour demain, après une bonne nuit de sommeil, *hamdoulillah* ! Mais, toutes les nuits, le fellah accomplit le même épuisant voyage, dicté par un rêve récurrent : il se rend au Caire.

« Ce n'est pas rien, Khartoum-Le Caire, pour un pauvre paysan, serait-ce en songe. Il manque d'être submergé par de nombreuses épreuves avant d'atterrir au coin d'une artère animée qu'il reconnaîtrait entre mille. Sous la voûte ombragée qui la borde, un marchand de chaussures et non loin, un mendiant. Sous les pieds du mendiant, une plaque de fer rouillé, la porte d'une trappe. L'agriculteur la soulève. Un trésor gît au fond.

« Évidemment, cela prend la forme d'une obsession, bientôt notre homme part vraiment de Khartoum pour Le Caire. Les épreuves se révèlent plus douloureuses qu'en rêve, la vie est cruelle n'est-ce pas ? Enfin il parvient au croisement qu'il reconnaît, au magasin de chaussures, sous la voûte… Le mendiant, pour prier, a étalé son tapis sur la plaque rouillée. Avidement le fellah les écarte, lui et son tapis, avant de la soulever. En dessous il n'y a rien, rien d'autre qu'un des trottoirs défoncés du Caire.

« Le mendiant réclame des explications, l'agriculteur les lui fournit, sans préciser toutefois d'où il vient. Lorsqu'il a fini :

« – Tu es fou ! s'exclame le gueux. Confondre le rêve et la réalité ! Prends exemple sur moi qui, toutes les nuits, me rends près de Khartoum, dans un jardin aux raisins délicieux. Là, près d'un figuier imposant, ruisselle une eau pure que recueille un abreuvoir. Il suffit de le vider et de le soulever pour trouver, en dessous, un trésor sans doute analogue au tien – de l'or, beaucoup d'or. Est-ce pourtant une raison, ô insensé, d'effectuer le voyage de Khartoum ?

« – Tu as tort de ne pas croire aux rêves, insiste le paysan.

« Il descend le Nil avec plus de facilité qu'à la montée, le voici revenu dans son jardin. Au fond la source, l'abreuvoir. Il entreprend aussitôt de le vider, de le déplacer, ce n'est pas une mince affaire. En dessous subsiste une plaque de fer rouillé, la porte d'une trappe. Il l'ouvre. Un trésor gît au fond. »

– Entendu, dis-je, lui prenant les mains pour la remercier, le moment arrivait où elle allait se cacher derrière sa frange. J'ai donc raison de demeurer ici ? Inutile de courir le vaste monde, le bonheur se trouve sans doute près du puits, sous le platane…

– Tu te trompes, Antoine… Il convient d'effectuer un vaste périple, d'abord, avant de trouver le bonheur sous l'arbre.

Après le repas, nous expédions tous deux la vaisselle.

– C'est dommage que tu n'aies pas la télé, dit-elle.

– Pourquoi ?

– J'avais envie de regarder n'importe quoi, sous la couette avec toi.

– Qu'à cela ne tienne.

J'enlève le transistor de la cuisine pour le brancher dans ma chambre, ce qui la fait sourire. La cheminée a beau tirer, flamber, ma chambre reste la seule pièce convenablement chauffée, grâce à un convecteur, de toute la maisonnée. Voilà qui nous autorise à nous déshabiller avant d'entrer dans le lit.

Tandis qu'assis côte à côte, jambes emmêlées, nous nous retrouvons, Lorraine raconte, les yeux au plafond, certains épisodes de sa vie. La plupart me sont déjà connus, ça ne fait rien. Ce sont souvent des anecdotes en compagnie d'André, son père, le ferrailleur. Certains garçons reviennent aussi en boucle, tant mieux. Cela signifie qu'il n'y en a guère eu d'autres.

J'ai acquis, moi aussi, ma petite place dans ses réitérations. Je remarque qu'elle m'invoque plus souvent : « C'est quand tu m'as dit que... », par une sorte de rebond, à mon corps ou à mon esprit défendant, en tirant pour elle des leçons que je n'avais pas enregistrées, pour ma part.

– Mon chéri... Je peux t'appeler « mon chéri » ?

– Pas de problème.

– Est-ce que tu peux me masser le dos, mon chéri ?

– Qu'est-ce qu'on utilise pour ça ?

– De l'huile d'olive, si tu en as.

– Ta bouche d'abord.

Un baiser ainsi qu'on s'attable, qu'on mange, qu'on boit sans être rassasié. Nous trouverons dans la nuit les moyens amicaux de nous étancher mutuellement.

10

Le lendemain matin, il était annoncé, un redoux bienvenu dégèle la terre. Les arbres, les buissons dégouttent sur l'herbe dont le vert paraît plus foncé, une fois fondu son drap de gel blanc. Lorraine et moi prenons notre petit-déjeuner au-dessus de la table de la cuisine, avec vue sur les oiseaux qui s'abattent dans le jardin, passereaux, tourterelles, pics, merles, quand Diego survient.

Je l'invite à partager notre café, le Philippin refuse – comme d'habitude en s'excusant beaucoup, il est navré, Mme Wong l'attend. À ce nom, Lorraine s'allume. Je ne lui ai jamais parlé de Mme Wong. Elle insiste pour que Diego prenne place parmi nous, rien n'y fait. Du coup, nous l'accompagnons tous les deux pour l'aider à charger la livraison.

Je n'entends pas toujours ce que Lorraine lui demande, beaucoup de questions que Diego esquive en souriant. La porte du fourgon claquée, le Philippin et moi nous serrons la main, contents d'avoir œuvré ensemble. En regagnant la terrasse, tandis que la cargaison s'éloigne sur le chemin :

– Parle-moi de Mme Wong, demande-t-elle.

Je déballe tout ce que je sais, c'est-à-dire pas grand-chose, en nous resservant du café. Quand elle apprend à quel tarif je restaure les livres – un euro les quatre, le papier cristal restant à ma charge – Lorraine explose :

– C'est indigne ! Comment peut-on exploiter les gens à ce point-là ? Et tu te laisses faire ?

– Eh bé c'est que je me…

– Je vais lui dire deux mots, moi, à ta Mme Wong, tu vas voir !

– Blonde occidentale rien connaître à marché chinois. Toi laisser tomber.

– On a déjà dit que je ressemblais à ta fille…

– Quel rapport ?

Elle repousse sa tasse, éloigne sa chaise, son visage s'éclaire.

– Ta fille a très envie de rencontrer ton employeuse, c'est crédible – surtout quand elle m'aura sous le nez, avec ce que je m'apprête à lui sortir…

– Tu vas tarir ma seule source de revenus, le ruisselet du fellah.

– Mais non ! Que tu es mignon…

Elle opère rapidement un tour de la table avant de s'inviter sur mes genoux, dans sa position favorite, une main posée sur ma tête.

– Je prends tes intérêts super à cœur, mon chéri, tu ne m'en veux pas ? Il est temps que ton travail soit rétribué à sa juste valeur. Je croyais que c'était pour toi que tu restaurais des livres. Que c'étaient *tes* livres, tu comprends ? Vingt-cinq cents par bouquin, mais c'est de l'esclavage !

Elle tape du poing sur mon crâne, je lui attrape le bras.

– Admettons, dis-je. Comment je fais ? Je lui téléphone pour lui dire que ma fille veut la rencontrer ? Pour quel motif ?

– Pas la rencontrer : lui rendre visite.

– Il se peut qu'elle préfère venir…

– Arrange-toi pour qu'on y aille tous les deux, dit-elle en m'ébouriffant les cheveux, un sourire plaqué sur son intense curiosité.

Je n'arrangerai rien du tout. Je ne suis pas obligé de lui dire.

Elle m'a demandé un service pour Noël, que je comptais passer seul. Elle voudrait éviter de se retrouver en tête à tête avec sa mère ce soir-là, autant pour l'une que pour l'autre. Au restaurant, ce serait peut-être pire… Cela me dérangerait si elles ornaient ma cuisine de houx, de bougies, de guirlandes ? Si elles s'occupaient du repas, tandis que je n'aurais rien à faire ? Vers dix-neuf heures ?

– Cela ne me plairait pas forcément, si j'étais ta maman, de rencontrer ton copain le vieux loser.

– Pour être perdant, Antoine, il faudrait avoir voulu gagner. Et puis de toute façon, détrompe-toi, maman adore les losers. Elle était déléguée syndicale dans son service à l'hôpital, au secrétariat. Tu ne peux pas imaginer le nombre de personnes qu'elle a aidées, elle en invitait même chez nous, le soir, autrefois. Ton cas va lui plaire. Tu n'es pas déclaré, je me trompe ? Serrez les fesses, madame Wong, Joëlle arrive !

Je ne peux cacher mon épouvante :

– Tu plaisantes ?

– Pas complètement. En tout cas, j'arrête pour te dire que moi, j'aimerais bien passer Noël avec toi.

J'ai sorti les chaises, la table en bois, les coussins, les chattes sur la terrasse. La nuit est tombée, le redoux persiste – à cette heure, dix degrés. J'effectue le ménage en grand dans la cuisine, fenêtres et portes ouvertes. Le bois dans la cheminée, affolé par tant d'air, crépite. Que tout soit propre quand elles poseront le décor.

En attendant que le sol sèche, je vais contempler la lune dans son dernier quartier, Orion toujours impressionnant, les épaules en avant. À sa ceinture étincellent les trois diamants qui portent des noms de rois, Alnilam, Alnitak, Mintaka. L'air est si pur que sous ces étoiles, on en aperçoit un semis d'autres, encore plus lointaines. Je guette la filante qui ressemblerait à celle au-dessus du sapin.

Un rectangle jaune, visible de la terrasse, vient de s'éteindre, celui des toilettes de Lorraine, à l'étage. Presque immédiatement j'entends la porte de l'entrée principale claquer. Leurs voix résonnent sur le chemin, diffractées par une haie de lauriers. Dans le silence épais de la campagne, on dirait des notes de musique tombées d'on ne sait où. Tout est fiction, prétendent certains écrivains, l'Homme descendrait du songe. Rien ne ressemble autant à un conte de Noël que le soir du 24 décembre.

Joëlle n'a plus beaucoup de cheveux, quelques-uns, longs, au sommet du crâne. La chimiothérapie a également emporté ses sourcils, aussi, à l'aide de maquillage, en a-t-elle esquissé sous son front, à la manière japonaise. Je l'imaginais grande, elle tient tout entière sous le bras de sa fille.

À une Japonaise encore, on attribuerait la peau laiteuse, sa bouche comme un bouton peint en rouge cerise. Ses yeux se plissent souvent aux seules fins d'occulter une douce ironie. Pour le reste, des châles, des voiles colorés recouvrent pudiquement une obésité au milieu de laquelle Joëlle s'immobilise parfois, la respiration coupée.

En guise de bonjour, elle a glissé du bras de Lorraine au mien et se laisse guider jusqu'à la cheminée, près de laquelle je lui installe une chaise. Sa fille est chargée d'un sac à dos et de deux paniers remplis de décorations lumineuses, de cadeaux, de victuailles.

– J'aimerais bien pouvoir vous aider, souffle Joëlle, mais là j'ai ma crise. Il faut attendre qu'elle soit passée.

– Repose-toi, maman, tout va bien.

Lorraine, vêtue comme d'autres jours d'un jean et d'un pull marine, sort néanmoins d'une séance de coiffure au terme de laquelle ses cheveux, truffés de peignes, s'épanouissent en jet d'or au sommet de son crâne. Figurant des gouttes échappées à la vasque, des paillettes en forme de minuscules étoiles tombent sur son front, au coin de ses yeux et, plus bas, sur son pull couleur de nuit.

Elle déballe sur la table ses paquets, ses sachets, ainsi qu'un lourd faitout.

– Taratata ! chante-t-elle en extirpant une Veuve Clicquot, avant de la poser dans le frigo.

Au dessert, il y aura un vrai *christmas pudding* de chez Wilkin & Sons. Le faitout contient un chapon, plutôt qu'une dinde. Il suffira de le réchauffer.

J'aide Lorraine à installer le décor, tandis que devant la cheminée, Joëlle s'endort à moitié – j'ai remplacé sa chaise par un fauteuil, et lui ai proposé un plaid sur lequel repose maintenant la madone noire, pourtant chatte farouche. J'ai fait péter à leur intention le champagne. En levant mon verre d'eau pétillante :

– À Joëlle, une amie des cheminées et des chats. Bienvenue Joëlle !

J'évite les gestes de tendresse envers sa fille, laquelle ne peut en retenir deux, involontaires. Lorsque nous avons fini de suspendre, de brancher – elle a du matos, comme on dit – la cuisine clignote comme une baraque foraine, ampoules multicolores, j'aime bien. Le manteau de la cheminée, au-dessus de Joëlle, ressemble à un stand de tir.

– On s'offre les cadeaux ? demande Lorraine.

Sa mère s'est remise. Elle m'offre un *kokedama* – fougère cultivée dans une mousse végétale ronde, sertie de nylon, et qu'on peut suspendre. La méthode vient du Japon, à nouveau. Je remercie Joëlle en m'inclinant à l'orientale. Lorraine se rapproche davantage, et me glisse comme en fraude un bloc de plaquettes de chocolat, chacune est différente.

Pour elle, j'ai choisi *En Patagonie*, de Bruce Chatwin. Pour sa mère, *Mars*, de Fritz Zorn, un livre remarquable à propos du cancer. Hélas, l'auteur en a péri. Mon geste est peut-être un tantinet désinvolte, ou provocateur, tant pis.

J'étais en train de découper le chapon quand la porte s'ouvrit. La canadienne de Jonas s'y encadra, suivie d'un courant d'air frais. Il brossa longuement ses semelles au paillasson en dévisageant les deux femmes. Nous vîmes qu'il prenait une décision. Elle lui tira les traits vers le haut, prêt à sourire souvent. Ce soir, il avait envie de s'amuser.

Lui aussi ramenait un cadeau, une brosse spéciale, italienne, pour nettoyer les livres.

– Il fallait bien que ça arrive, dis-je en le remerciant, ce qu'il ne parut pas comprendre.

La stupéfaction qui avait saisi Lorraine à son apparition, celle, dans une moindre mesure, de sa mère, s'étaient dissipées. On ajouta un verre à table. À peine fut-il assis qu'il les fit rire.

Il portait sous sa canadienne un chandail neuf, blanc cassé, col roulé, ainsi qu'on en voit en Écosse ou bien dans des publicités, avec une plage en hiver et un gros chien. J'observais son manège. Au début, il ne s'adressa qu'à nous, Joëlle et moi, évitant de regarder Lorraine avec tant d'ostentation que nous en étions gênés pour elle. La fureur qui augmentait dans ses yeux étirait davantage, à côté, le sourire de Jonas, découvrant ses dents.

Dès qu'ils prirent langue, une langue en partie inconnue, pleine de références familières, la langue de leur âge, nous ne trouvâmes plus l'occasion de l'interrompre, Joëlle ou moi. Nous fûmes d'emblée relégués au second plan, au rayon des plus vieux, des plus âgés.

Une demi-heure plus tard, le frère et la sœur, pareillement blonds et passionnés, assis sur une banquette à l'écart, n'en revenaient pas de se retrouver. Nous ne les vîmes pas disparaître en direction du salon, d'où s'éleva bientôt la voix d'un chanteur argentin. Je pouvais me tromper, mais je pensais avoir aperçu, dans le regard de Joëlle, la déception, la tristesse qui avaient dû affecter le mien.

Lorsqu'ils gagnèrent la terrasse en passant près de nous, ils s'effleuraient du revers de la main, je feignis de ne pas le remarquer. Nous pensions qu'ils allaient prendre l'air, respirer un peu sous les étoiles. Il fallut attendre le moment de servir le pudding – lequel chauffe longtemps au bain-marie – pour comprendre que nous le dégusterions, Joëlle et moi, en un tête-à-tête de grands-mères.

Joëlle était gentille, elle s'efforça de noyer le poisson, de beurrer ce gâteau qui me restait en travers de la gorge. Nous parlâmes de ses soins à Bordeaux, de l'Institut Bergonié où elle était prise en charge.

– Ils sont tous tellement adorables avec moi, je ne sais pas comment faire pour les remercier.

Nous évoquâmes la silhouette de Mme Wong, à mon profit. Elle avait préparé des arguments de poids à mon intention, il me suffisait, disait-elle, d'écouter. Je fis mieux, en prenant des notes. Mon application l'amusait.

– Je peux vous dire un truc, Antoine ?

– Allez-y.

– Je vous préférais à celui qui vient d'arriver.

– Ça va vite, hein ?

– Ce garçon, vous le connaissez depuis longtemps ?

– Je préfère ne pas en parler, ce serait trop long, je suis fatigué. Vraiment fatigué, je veux dire. Vous me pardonnez ?

L'horloge marquait 23 h 10, Joëlle quitta sa chaise en s'empêtrant un peu.

– Je présume que nous reviendrons chercher le matériel demain, dit-elle.

– Je vous raccompagne jusqu'à la maison.

– Ah non ! cria-t-elle presque, avant de se reprendre. Je ne vais pas vous infliger le spectacle, c'est déjà bien assez que je m'y colle.

Le lendemain, je me levai tard, un jour pâle et froid baignait la cuisine, le feu s'était éteint. Elles avaient oublié leurs cadeaux sur la table, *Mars* et *En Patagonie*, dont le titre me sembla tout à coup d'une extrême dérision. Les ampoules éteintes pendaient comme des petits poissons dans le filet. De la vaisselle sale traînait partout. Les bras m'en tombaient quand on frappa sur la porte vitrée, c'était Jonas, à nouveau.

Les deux femmes avisées l'avaient envoyé récupérer le sac à dos, les paniers. Dans la laine de son pull blanc, des paillettes dorées s'étaient immiscées. Nous décrochâmes ensemble le décor. Apparemment, Lorraine ne lui avait rien dit à propos de notre relation. Je n'avais guère envie de parler, lui non plus – venant de sa part, néanmoins, cela surprenait. S'il ne paraissait pas beaucoup plus reluisant que moi, il accusait moins une nuit d'excès que la décomposition des visages en proie à un souci important.

Je ne parvenais pas à lui en vouloir, j'avais trop mauvaise conscience et je ne suis pas jaloux. Je guettais seulement sur ses traits les méfaits de la fatalité, comme après une tornade. On a beau la voir arriver de loin, comme c'était mon cas, cela ne change rien, au moment de constater les dégâts. Il restait dans les yeux de Jonas une trace d'effarement. Lui l'avait si peu prévue qu'il ne s'affolait que maintenant.

Bien entendu, je ne pouvais me mettre à sa place, pas plus qu'il ne pouvait prendre la mienne. Qu'avait-il imaginé, en rencontrant Lorraine ? Peut-être pas de se retrouver chez elle le lendemain. Que devenait son projet de retourner à Paris ?

– Tu déjeunes à côté ? j'ai demandé.

– Chez Joëlle. On la raccompagne cet après-midi.

11

Les jours qui suivirent Noël, la température baissa de nouveau. Un franc soleil, parti pour la journée, naissait en étincelant parmi les prés blanchis. Les oiseaux se rapprochaient des maisons, en quête de nourriture, d'une eau qui ne fût pas gelée. On entendait, sur les routes au loin, que la circulation reprenait pour les fêtes. J'eus quelques clients à la bouquinerie.

Un matin leurs voix résonnèrent clairement de l'autre côté de la haie. Elles étaient enjouées, bavardes, peu importaient les mots, elles s'enroulaient, se cherchaient et jouaient entre elles, montaient dans l'azur sans se préoccuper du monde alentour. Rire les interrompait avec tant de brusquerie qu'on avait envie de rire, soi-même.

Certains soirs, dans un silence total, un peu de barouf provenait de leur maison, de la musique à fond, des éclats de phrases, une fête. Tout ce que je pouvais apercevoir du logement consistait, je l'ai dit, en un mur plongé dans l'ombre, uniquement troué d'une fenêtre. Ces soirs-là, je ne pouvais m'empêcher de monter à l'étage d'où la vue portait mieux, pour attendre je ne savais quoi de la façade borgne. J'avais l'impression qu'ils me réchauffaient dans la nuit glacée, de tendre, en quelque sorte, mes mains à leur feu.

Une fois, le rectangle des toilettes s'alluma. L'ampoule éclaira le haut du visage de Jonas, je pus l'entendre siffler. Je me détournai comme si j'avais été dans l'urinoir voisin.

Marco me rendit visite – cela faisait longtemps. Il s'apprêtait à partir dans son Cantal natal pour le premier de l'an. Son nouveau travail, au camping, ne commencerait qu'en mars. À force de ne pas en prendre, il cumulait trois mois de vacances qui s'étalaient maintenant devant lui sans qu'il sache comment les utiliser.

– Un grand voyage, ça ne te tente pas ?

– Je ne veux pas perdre mes habitudes… Je vais rester dans le Cantal, retrouver des amis d'enfance…

– Tu ne crains pas les fantômes ?

– En tout cas, je regretterai celui que je laisse ici. Tu as vu comme tu as maigri, mon pote ? Tu vas bien ?

– Des fois, la solitude… Tu sais ce que c'est.

– Tu as cassé avec Lorraine ?

Même pas le temps de m'insurger :

– Les gens parlent, reprend-il, tu n'imagines pas à quel point. On vous a vus au supermarché. Il paraît qu'elle a habité un temps chez toi, vrai ?

Est-ce dû à son ancien métier de flic ? Impossible de rien lui cacher, sinon le goût de métal qui, depuis, hante ma bouche, la fatigue de m'être encore une fois illusionné, lorsque je pensais en avoir fini avec ces mirages-là. Se faire larguer n'est jamais agréable. À partir d'un certain âge, cela dessine plus crûment le chemin vers le lieu où nous avons tous rendez-vous, seuls, à minuit.

– Je le sentais de loin, dit-il. Ça ne va pas fort…

– J'avais même envisagé de vendre la baraque, de quitter le pays…

– Où aurais-je bu le café ? Mon pauvre ami…

Quand il apprend le prénom du nouvel élu, le garde champêtre, cependant, ne peut contenir son excitation.

– Ce Jonas, hein, quel *garçu*, quel couillu !

– Je t'en prie…

– Non mais regarde ! Voilà quelqu'un qui touchait le fond il n'y a pas deux mois, qui cuisait des écureuils dans la forêt. Après avoir été nettoyé, frotté, habillé par Laurence, il habite maintenant la jolie maison d'à côté. Au fait, il y est ?

– Je suppose que oui.

– Tu dis tout, toi, hein ? Ouais, Jonas, en tant qu'homme, je lui tire mon chapeau. Pas comme à l'autre, là, l'allumeuse…

– Lorraine n'est pas une allumeuse.

– Une allumeuse, je te dis. Elle a foutu le feu à tout le quartier, dont moi. Il n'y a que toi pour ne pas le voir. Dis donc, est-ce que ton autre voisin, Jean-Louis, il ne serait pas un peu tombé amoureux d'elle, lui aussi ?

– Et alors, vous voulez l'empêcher de briller rien qu'en étant elle-même ? Parce qu'elle s'assume partout où elle se pose – y compris au milieu de pas grand-chose peuplé d'individus dans notre genre, peut-être pas le plus élevé… Avec une sorte de générosité, quand on y songe. Les enfants ne s'y trompent pas, qui se précipitent vers elle. Et nous, est-ce que nous n'avons pas cru qu'elle nous aimerait tous les deux ? Elle brûle parce que de l'âme bout sous le couvercle, Marco, en compagnie de l'énergie, de la curiosité, de l'enthousiasme ! Tu sens qu'elle est partante pour tout, non ? Qu'autour d'elle flotte un parfum d'aventures. Qu'avec elle, beaucoup de choses deviennent possibles. Comment peux-tu lui reprocher ce qui, précisément, t'attire ?

– Ouais, ben, à ce que je vois, t'as pas fini de te consumer.

Comme si le froid scandinave avait nettoyé, aseptisé la grande table de la nature – la livrant débarrassée de saletés, plus une miette, à l'inspection du soleil –, de lourds nuages, apparus avec la nouvelle année, vinrent y disposer le couvert. Entre marais et pins, outre que la température remontait, on croisa les doigts pour qu'ils crèvent. La nappe souterraine s'amenuisait, à une époque où elle aurait dû déjà se reconstituer. Le puits sous le platane atteignait un niveau inédit. Au bout d'un tunnel vertical en pierres moussues, le contenu de trois seaux d'eau claire ne masquait plus le fond.

Chaque jour se levait un peu plus obscurci sans que tombe une goutte. Un matin, il n'était pas huit heures, un vacarme éclata du côté de chez Lorraine, un bruit de tôle froissée, des bris de verre, un moteur qui rugissait, des cris, Jonas hurla. Un deuxième choc précéda d'autres cris, d'épouvante cette fois, on entendit l'automobiliste reculer, prenant de l'élan avant de s'enfuir en accélérant sur le chemin, non sans se tromper dans les rapports de vitesse. Le retour du silence révéla que Lorraine pleurait.

J'allai voir. Sous la violence des impacts, le Kangoo s'était blotti contre la maison, l'un des flancs écrasé contre le mur, tandis que l'autre, côté chemin, exposait ses portières enfoncées, déformées, ses vitres éclatées. La deuxième attaque avait porté à l'arrière, pliant le coin de la cabine, le pare-chocs pendait par terre.

Ce n'était pas à cause des dégâts que la propriétaire du véhicule, en peignoir rose, sanglotait. Laurence la brocanteuse, au volant de son puissant 4 x 4, lui avait foncé dessus à son second passage. Il s'en était fallu d'un cheveu qu'elle l'écrase.

– Elle voulait me tuer, criait Lorraine. M'anéantir. C'était clair, je le voyais dans ses yeux.

D'un coup, la honte fut la plus forte – honte de pleurer, de son peignoir, de ma venue, de la situation, de son rôle –, elle cacha son visage dans ses mains et courut se réfugier dans la maison. Jonas, en caleçon et T-shirt, se dandinait pieds nus en tâchant d'éviter le verre partout répandu.

– Tu devrais t'habiller, dis-je. Mettre des chaussures. Prendre un balai.

La danse exorciste qui l'agitait cessa. J'aperçus pour la première fois un regard dur, impressionnant, sous sa crinière de Viking. J'eus brusquement le sentiment que Lorraine lui avait tout raconté, à propos de nous. À la petite dizaine de prénoms masculins que je l'avais entendue égrener dans l'intimité, elle avait dû ajouter Antoine.

Jonas m'avait certainement rangé dans la catégorie des sages qui ont dételé, heureux d'en avoir fini avec le désir… Dans la Bible, on traduit parfois l'un des dix commandements, celui qui concerne l'adultère, par : « Tu ne verras pas ton père nu. » À la faveur d'un bavardage sur l'oreiller, le jeune homme m'avait aperçu aussi déshabillé que sa bien-aimée. C'était peu dire que cette vision ne lui avait pas plu.

Nous n'avions pas le même âge, le sien connaissait moins de flegme.

– Je sais ce que j'ai à faire, articula-t-il sans aménité.

– Bon, bon, je m'en vais.

Enfin il plut, quelques gouttes, d'abord, dans lesquelles on plaça toute notre foi, si bien qu'elles finirent par tomber d'abondance, noyant le paysage. Chaque matin, dorénavant, montrait une grille d'eau descendue devant la porte, qui empêchait de sortir autrement qu'en courant. Avec la caissière du Grand Café, la jeune acrobate et la madone noire, nous ne nous quittions plus.

J'eus quelques clients, à nouveau, inattendus, tant à cause de la pluie, que des premiers jours de l'an, durant lesquels il n'y a plus d'argent. Une fois franchies les averses froides, nul n'avait envie de retourner dehors. On sortit sa pipe, on posa son chapeau, son écharpe, on écarta les mains au-dessus du couvercle du poêle. Le cuir des reliures acheva de donner à l'endroit des allures de club. C'est fou, ce qu'un vieux poêle incite à parler.

Parmi les habitués, un ancien matelot. Outre la marine, son domaine de prédilection, qu'il cultive historiquement, il maîtrise des sciences qui, si on l'écoute, s'y rapportent, la géologie, l'astrophysique, la botanique, l'anthropologie. À l'aide d'une mémoire étincelante, il jette des passerelles inédites de l'une à l'autre. Il n'a pas navigué sans savoir sous quels ciels, ni sur quels flots il se trouvait – leur composition, leurs impératifs, leur pouvoir. Ce passionné restait modeste, les cimetières, disait-il, étaient remplis de gens comme lui. Avez-vous pensé à réserver dans le vôtre ? Comment ça, c'est le même que le mien ? Eh bien, vous verrez, avec moi, l'éternité sera vite passée.

Je reçus la visite de Jonas, aussi, un Jonas repentant qui agita la clochette à l'entrée. Lorraine était partie, à bord d'une voiture louée, initier à ses contes arabes un public du centre de la France, trois soirs à Montluçon et deux à Guéret.

Le jeune homme s'ennuyait.

– Pas que d'elle, hein, note bien… Je m'emmerde ici, je commence à m'encroûter. Les gens sont lents, je perds mon temps.

– Tu ne t'en rends compte que maintenant ?

Sa tenue était redevenue négligée, son pull de grosse laine, autrefois blanc, montrait des traces de travaux au-dehors. Trois jours sans se raser, s'ils l'embellissaient, ne témoignaient pas d'une hygiène affolante. Ses dents avaient à nouveau perdu leur brillance.

– Il y a tellement plus de choses à faire ailleurs, je me demande si je ne vais pas retourner à Paris.

– Faut pas rester dans ce pays quand on a la vie devant soi. Ça y est, tu t'es réuni, tu t'es construit ? Eh bien, envole-toi, qu'est-ce que tu attends ?

– Lorraine ne voudra jamais habiter à Paris.

– Lorraine, Lorraine... fis-je comme si elle n'était pas la seule femme sur terre.

Il avait tiré un carton plein de livres entre le poêle et ma table, s'était assis dessus. Il haussa les épaules.

– Tu laisserais une créature pareille sur le bord de la route, toi ?

Je revis son sourire d'antan, entre les mêmes murs, son panache et son ironie.

– En ce moment elle y est... répondis-je. Seule, sur la route. Je n'espère pas sur le bord, mais peut-être à l'hôtel... Pourquoi tu n'es pas parti avec elle ?

– Je n'avais aucune envie de me taper Guéret. La Creuse, mec, la Creuse !

– De jolis paysages, de nombreuses rivières... À ta place, je l'aurais accompagnée, quitte à dormir dans la voiture. J'aurais conduit, elle aurait révisé son texte. Je lui aurais pressé des oranges au petit-déjeuner. Faut pas la laisser seule du tout, Jonas.

– Il y a un truc que tu n'as pas encore compris, Antoine. Tu n'es pas mon papa. Hélas... J'aurais été mieux loti... En vrai, mon daron, il est plutôt du genre à mouliner avec ses bras – directeur de production, je te rappelle –, et à force de mouliner comme ça, sans arrêt, il finit par créer de la chaleur, de l'énergie. Beaucoup de personnes l'adorent, ma famille, de nombreux amis… Mais moi, si je m'approche de lui, je prends sa main dans la figure. C'est à cause de lui si je ne saute pas dans le premier train pour Paris. Ne cherche pas, c'est ainsi, même quand j'étais petit, il ne me supportait pas dans les parages. « Bon à rien, mauvais à tout », « Dépendeur d'andouilles », « Sang de navet »… Je t'en épargne de pires. Quand il apprendra que je n'ai rien fichu de l'hiver, ça va le motiver.

– Tu n'es peut-être pas obligé de lui dire, ou de le rencontrer ?

– La situation se présente de façon plus compliquée. Il y a beaucoup de femmes entre nous, mes sœurs, ma mère… Ambiance bruissements dans le gynécée, effets de voiles, informations secrètes…

Ses yeux, un instant, demeurèrent captifs de cette vision.

– Elles seront contentes de te revoir, osai-je. Et puis, il n'y a pas que ta famille à Paris !

– Toi, ça te ferait plaisir que je vide les lieux. Tu aimerais bien retrouver ta belle voisine, hein ?

– Pourquoi tu es encore ici, à discuter avec moi ? éludai-je. File, va retrouver la civilisation ! Si Lorraine et toi vous manquez trop, vous trouverez bien le moyen de vous rejoindre… Tu étais venu chercher un livre ?

– Plus envie de lire. Je t'ai assez vu, je me casse.

À son visage tourmenté, je comprenais qu'il commençait seulement d'écouter l'intégralité de ce que nous avions dit. Les arguments pesaient leur poids sur un plateau de la balance jusque-là léger, oscillant.

– C'est ça… conclus-je. Enfuis-toi. Mais loin.

12

Quand, pour une raison ou une autre, je passais devant leur maison, les volets autrefois franchement ouverts ou fermés, attestant ou non de la présence de Lorraine, demeuraient mi-clos sur un peu de lumière, celle d'un écran au fond d'une pièce. On entendait parfois bouger là-dedans. De la cheminée, la fumée s'échappait par intermittence, Jonas allumait des feux qu'il oubliait d'alimenter.

La voiture de location, après être revenue, partit derechef pour une assez longue période. Du Kangoo, il ne restait plus un éclat de vitre, plus rien.

Chaque matin, dès que je me levais, je pensais à eux. Chaque soir, avant d'aller me coucher, je ne pouvais m'empêcher de grimper à l'étage pour jeter un coup d'œil sur leur nid. Quoique le mur fût aveugle, l'ombre ayant fermé la paupière de sa fenêtre, il semblait transmettre en direct les états d'âme de la maison, diffusant la passion ou la nonchalance. La voiture de location revint se garer à l'angle. Je n'enregistrais plus que la violence de leurs disputes. Je décidai de changer de programme.

Sa mission de remplir les puits étant achevée, la pluie n'avait cessé qu'à la mi-janvier. Depuis nous vivions sous le ventre de vieux nuages isolés, aux tons ivoirins, sortes de mammouths, le poil gris en dessous, noir au bout. Les congénères laissaient de la place entre eux, ménageant un soleil ardent qui jetait toutes ses forces dans la bataille de réveiller, au moins pour la journée, un lézard, un bourdon, un papillon.

Un matin, j'étais en train de prendre le petit-déjeuner. À travers le carreau de la cuisine, je la vis arriver, lever le doigt et frapper, serrant contre elle le peignoir rose qu'elle portait lors de son agression.

– Je suis en panne de café, dit-elle quand je lui ouvris.

– Je t'en sers un ? Pendant que je trouve un fond de paquet…

– Ma foi…

De près, on s'aperçoit que son peignoir, à col épais, est matelassé, confortable, une robe de chambre anglo-saxonne, plutôt, telle qu'en portait Agatha Christie au dos de ses livres. En surprenant mon regard :

– Mon père me l'avait offerte pour mes quinze ans, confirme-t-elle.

– Tu étais déjà une grande fille. J'envie cette robe de chambre d'avoir suivi tes transformations. Comment ça va, à la maison ?

– C'est pénible en ce moment…

Elle soupire avant de se laisser choir en bordure de la grande table. Plus que ses formes, certains gestes qu'elle a, par leur ampleur, laissent prévoir qu'elle sera grosse dans quelques années, comme sa mère. Chacun a son sens du gros, ainsi que du beau. Le mien se réjouit à cette perspective. Encore plus de Lorraine ! Débordant de partout. Vive la chair, vive la peau ! Quel masseur chanceux, dans vingt ans, pétrira son dos ?

Je glisse une tasse devant elle, assez près pour sentir par bouffées l'hélichryse, l'immortelle des dunes. La licorne dans son cou se tient droite, légèrement en retrait, veillant sur la pureté de sa maîtresse, sur sa part enfantine, rêveuse, fabuleuse.

– Je suis désolée pour Noël, dit-elle à brûle-pourpoint.

Elle lève les yeux tandis que je lui verse un café, ils sont sincères. Je ne peux m'empêcher de sourire, je n'en attendais pas tant.

– Tu n'es pas obligée de te justifier. « En amour, tout ce qui n'est pas spontané est putride », écrivait Rémy de Gourmont. Je t'estimerais presque pour avoir osé… Je ne te reproche rien, je ne suis pas jaloux, je crains seulement qu'on te fasse du mal. Je continuerais de donner beaucoup de ce que je possède pour passer cinq minutes avec toi, c'est le cas, tout va bien. Ça clôt le sujet ?

Elle s'empourpre, puis bat des mains, laisse échapper un rire.

– Que tu es mignon !

Comme autrefois, Lorraine remonte le long de la table pour me planter un baiser, cette fois sur le front. Elle se rassoit gaiement avant de s'assombrir aussitôt. Le baromètre descend dans sa maison, le soufflé retombe, Jonas ne fiche rien, ou bien navigue sans fin sur le Web à bord de son ordi à elle, c'était bien la peine d'être hyperconnectée.

Il parle de retourner à Paris. Elle l'encourage ! Il s'accroche, recule. Il semble qu'il y ait un dernier obstacle, elle ne sait pas lequel, qu'il ne peut surmonter. C'est difficile, de le faire parler pour de *vrai*.

Lorraine secoue ses cheveux, tout à coup paraît regarder au fond d'elle-même, où règne l'obscurité.

– Je me suis peut-être trompée, dit-elle. Un feu de paille, ça existe…

Un long moment de silence accompagne sa réflexion. Pas question pour moi de le rompre, j'ai trop peur que mon contentement transparaisse. Enfin sa voix reprend :

– Maman va mieux. Elle a subi sa dernière chimio. On attend les résultats du protocole. Ils sont *a priori* encourageants. À part quelques amis – suivez mon regard –, je n'aurai bientôt plus de raisons de rester ici…

– Tu as quelque chose en vue, où habiter ?

– Le Limousin. Limoges d'abord, on verra après. À mon sens, c'est là-bas que les choses se passent aujourd'hui. Une nouvelle pensée se diffuse, des réseaux s'organisent. L'esprit souffle sur la région, un esprit de résistance, que je partage. J'ai le sentiment que je pourrais être utile dans la région, qu'on m'attend, presque…

– Tu ne m'as jamais parlé de Limoges…

– C'est récent, nous ne nous sommes pas vus depuis un mois, Antoine. À ce propos…

Quittant sa chaise, elle bondit sur ses pieds, jette ses bras en l'air, se déhanchant, « Taratata ! », comme si elle jaillissait d'un gâteau surprise.

– J'ai bien travaillé en ton absence. Et maintenant, notre prochain spectacle ! Devinez où il aura lieu. Si je vous dis au bord du monde, mesdames-messieurs, lequel se situe au bout de votre jardin, si je vous dis au pays des petites fées, celles qui courent sous votre plancher, est-ce que ça va vous aider ? Emmenez vos enfants. Je conte la semaine prochaine dans la ville voisine, salle des fées, euh, salle des fêtes, vingt heures trente, tu viendras ?

*

Quelques jours plus tard, je trouvai dans ma boîte aux lettres un article de *Sud-Ouest* annonçant sa venue – une manière à elle de me faire participer. La photo qui l'ornait, prise en contre-plongée, montrait une figure de proue, franche et déterminée, avec des vrais cheveux qui s'envolaient dans un grand ciel bleu.

Nous étions convenus de prendre la même voiture, la sienne, ce soir-là. Nous arriverions avec une heure d'avance. Pour diverses raisons, Jonas ne nous accompagnerait pas. J'aurais profité de ce qu'elle mette la dernière main à son spectacle pour aller prendre la température en ville.

Je n'y étais pas allé depuis des mois – des mois privés de cinéma, sans Marie. Les réverbères éclairaient des rues désertes. En peu de temps, des boutiques avaient changé de propriétaire, de destinataires, plusieurs avaient fermé définitivement leur volet. Le centre continuait de se vider.

Scotché sur quelques vitrines, en dessous de la photo parue dans *Sud-Ouest*, agrandie 21 × 30, une sirène contre le ciel bleu, un petit texte annonçait que dans un instant se produirait Lorraine. Son prénom, à la ville comme à la scène, était écrit en gros sur le papier déjà sali, froissé, périmé, au même titre que les anciennes affiches voisines.

Je n'avais jamais été dans la salle des fêtes. Elle se présente sous la forme d'un hangar de supermarché, plutôt froid, surplombé de néons. Une centaine de chaises en acier patientent devant un ring, plutôt qu'une estrade, là-haut juché.

Il n'y a personne, j'éprouve les plus grandes craintes jusqu'à m'apercevoir que le public se trouve massé, debout, bavardant en retrait des chaises. Quelques secondes plus tard, obéissant à un signal mystérieux, ces gens se rueront sur elles. Il faudra en rajouter.

Je n'imaginais pas à quel point les enfants se tenaient sages, leurs parents également, dès qu'on leur racontait des histoires. Quand Lorraine commença, assise au bord du ring, dans un manteau élimé noir, chaussée de gros godillots, je regardai les visages autour de moi, cherchant un autre incrédule. Tous reflétaient l'attente, la satisfaction, la surprise, tandis qu'elle enclenchait la vitesse, sautait à bas de la scène pour dépouiller, entre les chaises, *L'Arbre aux souhaits*.

Dans ce conte, chaque feuille arbore une couleur différente, celle du souhait de qui la touche, car nos souhaits ont leurs couleurs : rouge comme une envie de fruits rouges, vert, si l'on désire des amandes. Il n'y avait rien dans les mains de Lorraine. Je restais pourtant persuadé, comme la plupart des spectateurs, de l'avoir vue jeter en l'air des feuilles vertes, puis rouges.

Peut-être que son différend, avec Jonas, tenait aussi à une conception du métier d'acteur. Tandis que Jonas considérait comme son dû d'être un jour comédien, la saltimbanque recueillait une attention, une bienveillance que certains d'entre eux lui auraient enviées. Elle était en connexion directe avec le public.

– Et maintenant, vous visualisez…

– Qu'est-ce que c'est, m'dame, « visualiser » ?

Elle s'approchait de l'enfant. Comme un secret entre eux :

– Tu veux que je t'apprenne ?

La minute qui suivait l'explication – nous en avions tous bénéficié – nous pouvions voir en effet les sursauts désespérés de Guilhem, qui tâchait d'échapper aux griffes d'une sirène. Nous pouvions même apercevoir, à travers les algues, le navire englouti vers lequel elle l'entraînait. Je ne ratai pas le clin d'œil à mon endroit, quand Lorraine attaqua *Le Ruisseau du fellah*.

Le spectacle s'acheva brutalement, il avait duré une heure et demie, pas de bonus. Aucune importance, le public conquis, lorsqu'elle eut salué, l'entourait de toute part. Je pus assister au phénomène dont avait parlé Jean-Louis, le jour où il lui avait offert des roses : les enfants, leurs parents s'agglutinaient autour d'elle pour l'empêcher de bouger, de partir pour une autre ville, de disparaître ou de s'envoler peut-être, agrippant ses vêtements, la retenant à force de questions, comme si elle n'était pas tout à fait matérielle, mais tissée, elle aussi, de l'étoffe des songes, prête à s'évanouir dans une traînée d'étoiles, au son de trois notes de pipeau.

Il était une fois, dans la vie de ces gamins, une déesse blonde qui s'était généreusement penchée au-dessus d'eux, leur proposant, dans l'éclat d'yeux islandais où frémissaient des coquelicots, une compréhension magique, poétique du monde. Puisqu'elle-même existait, il fallait bien que tout cela fût vrai. Personne n'avait envie de voir s'enfuir, en même temps qu'elle, le dessous des océans, l'intérieur des palais, les arbres aux souhaits, les trésors cachés. Et moi, encore moins que le public.

Je ne compris qu'au voyage retour, tous deux dans son véhicule, pendant qu'elle conduisait, à quel point Lorraine allait me manquer. Sans elle un autre monde, d'une réalité aussi contestable qu'une fiction, reprendrait le dessus. Sa surface est grumeleuse, grise. Trop peu d'humains, sautant en hauteur, y jettent de la couleur. Dont toi.

Je ne l'avais jamais vue après un spectacle, je ne connaissais pas sa réaction, qui est de parler sans arrêt.

– Il faut qu'elle sorte, expliquait-elle, la voix… Qu'elle continue sans moi, qu'elle meure d'épuisement… Tu permets ?

Elle bifurqua dans un chemin de traverse, serra le frein à main. Les phares éclairaient les troncs d'une pinède devant laquelle elle apparut bientôt, les poings serrés, les bras levés, hurlant dans la nuit pour consumer son trop-plein de paroles.

Elle retint un rot quand elle revint.

– Ça fait du bien.

Le restant du trajet s'effectua dans le silence. Quand nous fûmes arrivés, elle voulut à tout prix me raccompagner devant ma porte. En passant devant la sienne, nous remarquâmes qu'elle était ouverte, la lumière au-dessus allumée. Malgré le froid, Jonas attendait, assis sur les marches. Il nous adressa un signe négligent de la main.

Lorsqu'il disparut dans notre dos, l'obscurité ayant repris ses droits, je pus entendre, plutôt que voir, la conductrice sourire.

– C'est son nouveau truc, dit-elle. Il me la joue jaloux en ce moment.

– Jaloux comment ? Méchant ?

– Non, plutôt attendrissant. Je le soupçonne de ne pas être venu exprès pour me préparer une scène. Il n'a pas été à bonne école, avec l'autre folle…

Les phares éclairaient la jeune acrobate, la madone noire, toutes deux tournant et miaulant devant la porte obstinément fermée. J'avais déjà un pied dehors :

– Je ne te propose rien à boire…

– Je ne vais pas toujours être là, Antoine, je te rappelle… J'aimerais bien rencontrer Mme Wong avec toi. Vraiment, je veux dire. Tu crois que tu peux faire quelque chose pour nous ?

Penchée sur le volant, dans son sourire le plus éblouissant.

Mme Wong se méfiait, au téléphone :

– Votre fille… Pourquoi veut-elle me rencontrer ?

– Elle a toujours été complètement fanatique de la Chine, mentis-je. Ou bien elle cherche un emploi. Avec elle on ne sait pas. Toujours est-il qu'elle brûle de faire votre connaissance.

– Elle brûle ?

– Me brûle. Me brûle le dos, à force de me pousser.

Après avoir traversé le marais, la route abordait les terres à vignes, rompues de bâtiments qui servaient à leur exploitation, parfois d'un château. Un peu de forêt revint orner le début d'une de ces petites collines qu'on nomme ici des *croupes*. La première allée à gauche, c'était là, une propriété défendue par de hautes grilles terminées de piques, un portail automatisé, une caméra. L'accès une fois autorisé, le chemin continuait de monter à travers une végétation provençale, chênes verts, chênes-lièges, oliviers, cactées.

Ainsi préparé à la vision d'une immense villa de plain-pied prolongée d'une piscine, pour l'heure recouverte, le visiteur en effectuait le tour avant de trouver le parking, derrière, une cour pavée bordée, sur les deux autres côtés, de granges, d'un ancien cuvier et d'un chai maintenant dénué de barriques. À leur place, dans son ombre, au-delà du vantail à demi ouvert, luisaient deux 4 × 4, plusieurs motos. On apercevait au fond le fourgon qu'utilisait Diego.

Il était un peu plus de seize heures, l'après-midi montrait déjà des signes de fatigue, la lumière déclinait sur les murs blonds en les teintant de mauve. Le rez-de-chaussée du cuvier avait été reconverti en bureau vitré. Mme Wong en jaillit, avant de demeurer sur le seuil. Elle était habillée d'un court tailleur noir et portait aux pieds des escarpins dont les talons aiguilles préféraient éviter la cour pavée.

Lorraine la rejoignit la première, en lui tendant la main. Elle marchait droite dans ses godillots, sa pèlerine outremer sur le dos, sa sacoche de facteur lui battant la hanche, plus que jamais figure de proue. Je pus voir le regard de Mme Wong, au moment où elle lui serra la main, après une hésitation – il était rempli de curiosité. Ce devait être la première fois que Mme Wong rencontrait cette catégorie humaine dont Lorraine figurait un spécimen.

– Votre père m'a dit… commença-t-elle. Vous êtes intéressée par la Chine, c'est ça ?

– Pas du tout. Je suis venue pour discuter de son salaire, dit Lorraine en me montrant. De la misère que vous lui filez. Pour ce qui est de l'exploitation illégale, vous vous posez un peu là, non ? Pas de fiche de paie, rien. Puisque c'est au black complet, au moins, que ça lui rapporte, mais non… Et lui, si gentil, qui se laisse faire… Ça me révolte.

Elle reprit sa respiration avant de laisser filer, d'un trait :

– Je ne suis pas venue sans biscuit. J'emmène avec moi, simple citoyenne, la Loi et son cortège : les numéros de téléphone des services compétents, un référé aux prud'hommes, enfin la justice, quoi… Nous allons remettre ensemble les pendules à l'heure, madame Wong.

Du bureau vitré, par la porte restée ouverte, émergèrent vivement le visage, le torse d'un bel homme plein de santé, la quarantaine, vêtu d'une chemise blanche. En dépassaient des poils drus, une chaîne en or reposait au milieu. Un natif de la région, il en avait l'accent :

– C'est moi qui m'occupe des employés… Je m'appelle Frédéric.

Avant que Lorraine s'en rende compte, il avait déjà serré sa main – la mienne, comme si cette dernière avait dépassé d'un bain de foule – et posé la sienne sur l'épaule de sa bien-aimée, pour la rassurer.

– J'ai entendu ce que vous venez de dire. On ferait peut-être mieux d'en parler à l'intérieur, dans mon bureau par exemple…

Cet « on », visiblement, nous excluait, Mme Wong et moi. Déjà Frédéric se tenait sur le seuil de la porte, prêt à suivre Lorraine. Elle m'adressa au-dessus de son épaule un coup d'œil interrogatif, auquel je répondis par une grimace également dans l'expectative. Elle prit sur elle pour s'engager avec bravoure dans la direction qu'il lui indiquait. On put voir, au passage de Boucle d'or devenue femme, frémir les narines d'un loup qui s'était trompé de conte. « On » : Mme Wong et moi, cette fois.

De là vint qu'elle fut un peu nerveuse, ou absente, quand nos pieds décidèrent, pour s'occuper, de longer à petits pas les bâtiments, où le ciment épargnait ses talons.

– Ce n'est pas votre fille, Antoine…

– Non, mon ex-fiancée… Tout le monde pense que je suis son père, alors…

Après un silence, elle répondit :

– Je comprends.

Elle ne m'offrait que son profil, lequel mordait à présent la pulpe d'un de ses doigts sous l'ongle manucuré. J'ignore à quel moment de leur relation, entre Frédéric et elle, étions-nous tombés, Lorraine et moi. Cependant Mme Wong semblait apprécier moyennement que son homme se trouve sans elle en compagnie d'une aventurière – de mon propre aveu. Ça se voyait, qu'elle l'aimait, et qu'en cet instant, elle craignait qu'il lui échappe.

– Je peux aller serrer la main de Diego ?

– Mmmh ?

– Visiter les bâtiments ? insistai-je.

– Oui, bien sûr, allons-y.

Partout, les rayonnages industriels, les étagères en bois, les planchers fléchissaient sous le poids des cartons de livres accumulés en piles.

Certains étaient ouverts, où je pouvais reconnaître les volumes fatigués que j'avais à traiter. D'autres, regroupés dans une grange, montraient des exemplaires de bibliophilie presque neufs, qui n'avaient pas beaucoup pris la lumière. Ceux-là partaient directement, m'expliqua-t-elle.

– Pour où ? demandai-je avec indiscrétion.

– Sud-Est asiatique.

Elle avait fait claquer les syllabes sur sa langue, comme s'il s'était agi d'un village perdu en Mandchourie, au nom imprononçable.

– Corée du Sud, beaucoup… Taïwan, les Philippines aussi. Un peu la Chine. Ah, j'oubliais, l'Afrique du Sud, *Joburg*…

– Tous ces gens-là lisent le français ? m'exclamai-je, surpris.

Elle éclata de rire, ce qui, l'espace d'une minute, lui rendit des couleurs.

– Nos clients ne lisent pas plus le français que l'italien ou l'allemand – nous avons d'autres centrales d'achat là-bas. Nos clients ne lisent pas du tout. Ils sont persuadés, et nous aussi, que les beaux livres, comme ceux que vous recouvrez, sont amenés à disparaître. Aussi thésaurisent-ils, c'est la mode, *via* des chaînes de magasins d'antiquités : Büchner G, Europa… Vous seriez étonné de voir votre comtesse de Ségur, dans la petite collection Dauphine – illustrée par Mme Luce Lagarde, c'est ça ?…

– La Bibliothèque rouge et or, dans les années soixante, oui, c'est ça…

– Eh bien, vous seriez étonné de voir, donc, ces volumes figurer en bonne place dans l'appartement d'un jeune couple à Taipei – un petit peu comme vous, les statuettes d'importation chinoise. Sauf que vos statuettes sont en plastique et ne valent rien. Nous vendons de vrais livres en certifiant qu'ils vaudront plus cher dans quelques années.

– J'en ai moi-même quelques milliers, vous avez remarqué ? Si le cœur vous en dit…

Elle eut un nouveau rire, qu'elle étouffa cette fois.

– J'en ai vu quelques-uns, j'ai surtout vu vos prix, Antoine. Ce sont les mêmes que vos collègues ailleurs… Nous achetons nos livres pour beaucoup, beaucoup moins cher que ce que vous réclamez…

– Alors ça ! Vous pensez, si ça m'intéresse… À qui ? Comment ?

Son petit rire s'acheva en sourire, elle le conserva un temps.

– En tant que bouquiniste, Antoine, quand on vous demande vos sources, est-ce que vous les révélez ?

– Ouais, j'avoue une bibliothèque par-ci, par-là…

Une lueur d'amusement traversa ses yeux.

– Nous aussi, nous pourrions dire « Une bibliothèque par-ci, par-là… » Mais plutôt toutes ensemble, vous voyez ?

– Pas vraiment, non. Vous parlez par énigmes. Vous fréquentez les ventes publiques ? Des syndics de faillites ?

Elle négligea de répondre, retrouvant son expression soucieuse. Nous étions revenus sur nos pas, devant les locaux vitrés où nous n'apercevions personne.

Elle fit un signe de l'index.

– Le bureau de Fred est à l'étage.

Elle montrait la baie vitrée en ogive, au-dessus de nous, un dernier rayon de soleil s'y reflétait, créant un éblouissement. Je lui indiquai, pour ma part, la porte qui donnait accès aux bureaux. En posant ma main sur la poignée :

– Vous permettez ?

Elle parut hésiter, eut, fataliste, un mouvement d'épaules sous son tailleur noir.

– Puisque vous y tenez…

Depuis l'étage ne parvenait aucun bruit. Passé les bureaux proprement dits, à droite, où je n'avais pas l'intention d'aller, un peu de raffut provenait d'un débouché caverneux, pile en face de nous, celui d'un corridor obscur, encombré de cartons lui aussi.

Le couloir aboutissait dans la pleine lumière d'une cuisine transformée en atelier du livre. Au-dessus des tables s'affairaient Diego ainsi qu'Ernesto, son acolyte. Plus loin, en retrait, sur un plan encombré d'encadrements, œuvrait Leila, l'épouse d'Ernesto. Nous nous serrâmes la main, c'est-à-dire qu'ils y mirent une effusion inattendue, me prenant le bras ou l'épaule, soudain bavards, Leila aussi, comme si j'étais un membre éloigné de leur famille.

Sur les tables gisaient, cassés, éventrés, des atlas de jadis, des encyclopédies de naguère, d'autres volumes plus anciens, reliés et dépareillés. Ils ressemblaient à des oiseaux dont on dépliait les ailes au sortir de leur cage, avant de les blesser mortellement à coups de hachoir pour n'en retirer que les plus belles plumes. Par dizaines, de récents cadavres exsangues avaient été jetés pêle-mêle sur un chariot de funérarium.

Le reste, les entrailles jugées valables, illustrations amusantes, gravures maritimes, lithographies scientifiques, jusqu'aux planches de botanique ou de papillons des Larousse, était laissé sans vergogne aux mains des deux joyeux pillards. Une partie seulement de leur butin filait à l'encadrement, où usinait Leila.

– Quant aux pièces les plus intéressantes… continua Mme Wong, sans achever sa phrase, laissant à sa main le soin de renvoyer ces fameuses pièces au domaine que nous avions déjà évoqué, l'export.

Une étagère supportait encore des boîtes en fer-blanc, marquées « riz », « sucre » ou « farine », rappelant la destination première de l'endroit. Je la vis distinctement s'incliner, et les boîtes glisser…

– Je crois que je vais retourner dehors, soufflai-je.

– Antoine, vous ne vous sentez pas bien ?

– De l'air. J'ai besoin d'air.

À l'extérieur, je fus obligé de récupérer mon souffle, de réduire, surtout, mes haut-le-cœur, les mains aux genoux, les fesses contre la façade.

– Je savais que ça vous ferait cet effet, dit Mme Wong. J'en étais sûre, j'aurais dû m'écouter.

– Qu'est-ce que vous vous disiez ?

– Antoine est un grand garçon. Il s'en remettra. Après tout, où finissent-ils, vos invendables à vous ? Vos blessés, vos abîmés… Dans quel cimetière ?

– C'est un sujet que je ne préfère pas aborder, vous avez raison.

Nous les vîmes emprunter l'escalier qui descendait dans les bureaux, Lorraine la première, pleine d'allant, le visage éclairé d'un contentement qu'elle réprimait avec difficulté. Le compagnon de Mme Wong avait abandonné son air protecteur, conquérant, au profit d'une mine rouge et congestionnée. Une mèche de cheveux noirs demeurait collée à son front, Lorraine avait dû lui donner matière à transpirer.

– Je l'ai carrément menacé de fermer sa boîte, dit-elle quand nous fûmes dans la voiture. Avec toutes les casseroles qu'il avait au cul…

Frédéric restait figé droit sur le seuil en nous regardant partir, dans l'attitude d'un homme qui cherche encore à comprendre ce qui vient d'arriver. Mme Wong esquissa un signe de la main dans notre direction, avant de se tourner vers lui, anxieuse.

Lorraine attendit d'avoir contourné la piscine, d'avoir dévalé l'allée entre oliviers et cactées, pour laisser éclater sa joie.

– Je l'ai eu, je l'ai eu, je l'ai eu.

Le portail était fermé, elle klaxonna, il s'ouvrit.

– Un euro les deux livres. Ton salaire a doublé… *Ce qui prouve qu'en protestant*, chanta-t-elle,

Tant qu'il est encore temps
On peut finir
Par obtenir
Des dédommagements…

La voiture s'engageait sur la route. Le soleil n'en finissait pas de disparaître derrière une ancêtre courbée, cueillant sur le talus de la salade pour ses lapins.

– Je ne parviens pas à réaliser, cinquante cents l'exemplaire…

– Au lieu de vingt-cinq, oui. Et puis ce n'est pas tout : le scotch, la colle, le papier cristal, tu les demandes désormais à Diego, qui te les apportera.

– Ça me paraît inouï.

– Non, c'est normal, Antoine. Les fournitures à ta charge, en revanche, ne l'étaient pas.

– Comment tu as fait ?

– Je suis restée droite, voilà tout. Je tiens ça de Joëlle. Au point que ce Frédéric m'a prise d'emblée pour une inspectrice en vacances, il croyait que c'était mon métier, tu vois le genre ? Il n'en démordait pas, je n'allais pas le contredire. C'est fou, quand j'y pense, le nombre de petits patrons coupables qui n'attendent que moi... Je plaisante... Cinquante cents !

Elle me tapa familièrement la cuisse.

– Tu te rends compte, nous nous sommes battus pour cinquante cents seulement ! Ça peut paraître ridicule, non ? N'empêche, tu verras, ta vie va changer...

Je pense à toi tous les jours, depuis que dans chacun, ta prédiction se vérifie. Je pense à toi dès le petit-déjeuner, je pense à toi quand Diego débarque pour emporter sa livraison. Il accepte une fois sur deux, maintenant, de prendre un café. Je pense à toi, cela te paraîtra absurde, au supermarché, en choisissant des chaussettes. Mais il n'y a pas si longtemps, je n'avais pas les moyens d'acheter des chaussettes. Au passage de la caisse comme tout le monde, moi, dans mon coin, je te remercie.

Grâce à toi, encore, j'ai fait remettre en état la camionnette lilas dont je me servais autrefois. Elle a enfin obtenu le contrôle technique. Il n'est pas interdit de penser qu'elle retrouvera bientôt son destin de colporteuse de livres. L'été prochain ? Nous verrons.

13

Par rapport à d'autres hivers, celui-là n'avait pas été trop froid, ni trop tempétueux. On n'en était pas sorti, cependant les mimosas, qui souffrent du gel et cassent sous le vent, fleurirent dès le début du mois de février avec une munificence peu commune. Leurs cascades presque grasses de velours canari ponctuaient, le parfumant, un paysage qui restait par ailleurs gris et roux, gribouillé de branches nues.

Le printemps prenait un peu d'avance, cela se voyait aux bourgeons prêts à éclater, aux sureaux déjà léchés par leurs feuilles en timides langues vertes. Cela se sentait dans les éclaircies, à l'épaisseur des rayons de soleil, taillés dans un air plus chaud, plus confortable.

Enfin il y eut ces jours que, près de la côte, nous attendions tous afin d'aller à la plage – des jours sans vent, sans pluie, sans nuage, réquisitionnés de bout en bout par un soleil brillant comme en mai.

À ces dates-là, il semble que, depuis le plus profond du pays, nous nous soyons donné le mot. C'est le moment de retourner voir notre vieux copain l'océan, à nouveau glabre, lisse, après sa broussaille de saison. Nous nous rendons traditionnellement à M., la plus proche station, où quelques commerces rouvrent, à cette occasion.

Sur la promenade carrelée de granite rose, entre quelques vélos, on croise des visages connus, eux aussi un peu hirsutes, défaits ou stupéfaits d'avoir résisté à trois mois de tristesse, d'ennui. Les enfants, voire les petits-enfants, criant et courant devant les vagues, en ont profité pour grandir. Des clients promettent qu'avec le retour des températures agréables, ils reviendront à la bouquinerie.

Il convient de s'éloigner le long du rivage, si l'on ne veut plus rencontrer personne. Les silhouettes humaines se raréfiaient, bientôt devenaient grêles à l'horizon. Les lagons abandonnés par la marée scintillaient au milieu du sable vierge d'une pureté absolue. Dans l'écume des premières vagues qui chuintaient comme au bord de la Méditerranée, s'abattaient de place en place des vols de bécasseaux dérangés par le promeneur. Un seul cargo paraissait suivre lentement une ligne de chemin de fer arrondie sous le ciel bleu, au-delà de laquelle l'immensité s'étendait jusqu'au Nouveau-Brunswick.

Les lointains contreforts de la dune se désagrégeaient, morcelés par une brume pas plus haute qu'elle. Sur ce fond s'inscrivit sa silhouette, grêle d'abord, puis dansante, reconnaissable entre mille. À cette distance, un détail empêchait cependant d'identifier formellement Lorraine, deux chiens trottaient à ses côtés. Un petit, un moyen.

Le premier, lisse comme une otarie, noir, à poil ras, furetait partout sans éternuer, les oreilles dressées. Le second, à moitié griffon, l'œil attentif derrière sa frange, attendait on ne savait quoi, venant de l'humain.

– J'ai tout essayé, impossible de m'en débarrasser, dit-elle en le montrant.

Tout le temps que nous nous étions rapprochés, nous n'avions pas cessé de sourire. La coïncidence lui semblait d'autant moins hasardeuse, au moment où, sur la plage, elle disait au revoir à la région, au pays. J'y voyais pour ma part la récompense de n'avoir rien fait, depuis plusieurs semaines, pour la rencontrer. Je les avais relégués, elle et Jonas, dans un tiroir vide aussitôt refermé. Je n'ignorais pas que je vivais à leur marge, ils ne me concernaient plus. Peut-être qu'à force de voisins, on coupe, on commence à cicatriser avant leur départ.

Sous un pull jeté en travers de ses épaules, elle ne portait qu'un T-shirt où dansaient, en même temps qu'elle, ses seins. Elle était contente de me voir.

– Tu ne connais pas un remède contre les corniauds ? demanda-t-elle. Allez, ouste, barre-toi ! Ce qui me terrifie avec eux, c'est leur inépuisable demande d'affection. Je ne me sens pas capable de l'assumer. Quand tu penses que certaines personnes, chien après chien, passent toute leur vie à se rendre coupables, parce que ces beaux yeux n'en ont jamais assez, hein ?

La moitié de griffon, posée sur ses fesses, acquiesça.

– Tu nous quittes bientôt ?

– Demain je lève le camp, répondit-elle en fixant le cargo, et ainsi de profil, elle donnait vraiment l'impression d'être une créature marine, avec ses cheveux torsadés comme des algues, son regard de navigateur norvégien, et le reste du vaisseau qu'on attendait toujours, qui la suivrait, serait-ce sur le sable, taillé dans le même bois qu'elle.

– Limoges ?

– Strasbourg, trois jours de spectacle, puis Paris. Je vais rejoindre Jonas là-bas. Ça fait deux semaines qu'il est parti…

Elle rougit légèrement.

– C'est lui qui me demande, il téléphone sans arrêt…

– Tes vêtements, tes affaires ?

– Je n'en ai pas beaucoup, tu sais. Elles sont déjà chez ma mère.

Le petit boudin noir se figea d'un coup sur ses pattes en allumettes. Clochard, son compagnon, se contenta d'un rapide coup d'œil en arrière. On entendait un sifflement léger, infime, du côté de la dune. Bientôt deux femmes apparurent à son sommet.

Sans prévenir, le petit détala dans leur direction, les oreilles volant comme des étendards. Clochard mit plus de formes, qui plongea son regard suppliant dans celui de Lorraine.

– Vas-y, lança-t-elle. Qu'est-ce que tu attends ?

Un signal de ce genre, sembla-t-il. Aussitôt après, il galopa lui aussi, la langue sortie, courant si bien qu'il rattrapa son collègue, le dépassa avant de grimper en quelques bonds là-haut, aux pieds de leurs maîtresses. De ces dernières, les cris de joie, mêlés de reproches, nous parvenaient de façon hachée, comme à travers un porte-voix défectueux.

Nous avions pivoté dans la manœuvre, Lorraine et moi. Ce soleil qui l'éblouissait, au point qu'elle s'en protégeait du bras, je l'avais à présent dans le dos, ainsi que des kilomètres de rivage. Chaque mètre qu'elle effectuerait, dans la direction d'où je venais, la rapprocherait de M.

Je la sentais impatiente d'y aller. Elle marqua néanmoins une nouvelle pause.

– J'ai été très heureuse ici, je ne m'en rends compte que maintenant. D'abord maman est guérie, jusqu'à nouvel ordre, et il s'agissait du plus important… Ensuite je t'ai rencontré, toi. Je t'avais vu de loin, mais j'ai eu beaucoup de chance. Tout ce que nous avons vécu ensemble, j'ai l'impression de l'avoir rêvé. Ou bien tout a eu lieu sur une autre planète. C'était fabuleux. Avec toi, j'ai découvert beaucoup de force en moi, des choses que j'ignorais. Tu m'en as appris d'autres. Je me souviens des après-midi où je lisais allongée contre toi, on était bien… Je suis conne, des fois. Chaque rencontre est unique, elle ne se passe qu'à deux. Il y en a de petites, il y en a de grandes… La nôtre ne ressemble à aucune autre. Je lui garde un coin spécial où elle me tiendra chaud, où je pourrai venir me réchauffer, d'accord ?

– Pas de problème.

– Tout ça, je tenais à te le dire. Il fallait que ça sorte.

Un silence s'ensuivit, le moment semblait venu de nous quitter.

– On s'embrasse ? proposai-je en avançant un pied.

Elle recula.

– Je préférerais que tu ne me touches pas, je ne suis pas sûre de moi. On se dit que la prochaine fois qu'on se reverra, ce sera la première chose qu'on fera, s'embrasser, OK ? Pas comme tout le monde : comme un gage. On s'en rappellera ?

– D'accord.

Le lendemain soir, après avoir été vérifier tes volets fermés, j'ai recueilli ton portrait paru dans *Sud-Ouest*, puis un message de ta main : *J'ai le sentiment profond que j'ai encore des choses à vivre avec toi, à découvrir avec toi, à partager avec toi...* Tu me l'avais laissé avant de partir pour Argentan, dans l'Orne. J'ai commencé de prendre des notes, de les accumuler… Elles portaient sur le moment, après tout, le plus beau, le plus important de ma vie.

De ma vie maintenant, sans Anne.

14

Plutôt que de t'envoyer une carte postale, voici une plaquette de souvenirs de toi, ainsi de ces vues en accordéon qu'on acquiert devant le Colisée ou le Parthénon. J'aurais mis deux ans à la dessiner, à la peindre, en dessous du monument. Mon seul travail, en réalité, aura consisté à gommer.

Je n'attends pas l'imprimeur pour te le donner. Tu as entre les mains le manuscrit de ce qui, un jour, j'espère, paraîtra. J'aimerais connaître la joie de retrouver ce volume parmi les stocks d'autres qui défilent sous mes mains. Il me semble que la boucle serait bouclée, qu'une existence consacrée aux livres trouverait là sa consécration.

Je ne peux imaginer tes réactions quand tu liras ces lignes. Je suppose que tu es attristée d'apprendre, pour Anne… Tu te doutais de quelque chose. Tu as failli plusieurs fois découvrir – quoi ? Que je ne m'en étais pas remis ? Avec toi, si. Je n'y pensais plus. La dernière de mes envies, dans ces moments-là, était d'évoquer ma revenante.

Tu vas peut-être rougir, menton, joues, front, en te reconnaissant, ici et là, plutôt exposée, dénudée. Si je n'ai pas dit à quel point ta pudeur est estimable, enfantine, même, je n'ai pas raconté non plus la munificence de ton corps, les richesses enfouies sous la soie de ta peau, attendant l'archéologue. J'ai tu comment chaque fossette irradie au creux de tes vallées.

Afin de ne pas te déplaire, j'ai caché, au contraire, l'étendue magnifique de ta superficie. Pour autant, je ne t'ai pas laissée seule dans le croquis. J'ai enlevé le slip, moi aussi. Je ne sais lequel de nous deux, dorénavant, est le plus à poil. Il y a des chances que ce ne soit pas toi.

Ta plus grande crainte sera sans doute d'être reconnue malgré ta volonté. Nous sommes peu de lecteurs, en général discrets, mais sait-on jamais ? Ne me contrains pas à ôter de ces pages la licorne bleue qui t'identifie au point que, si je devais l'enlever, j'aurais l'impression de te représenter amputée.

Lorsque tu écoutes, tu as une douce façon de pencher le cou. Alors l'animal, un instant, paraît interloqué. Tu as choisi de porter ton âme en sautoir, Lorraine, en collier. Pas plus que tu ne peux le retirer, je n'aimerais l'effacer.

Pour te décrire, j'aurais utilisé le bon vieux moyen stendhalien, promener un miroir le long d'une route, un miroir dans lequel tu t'inscrivais toute. J'ai été tenu, non pas à la fiction, mais à des microfictions, afin que les pièces du puzzle s'emboîtent de façon lisible. Je te répète que la plupart du temps, elles m'auront épargné d'en raconter trop, m'obligeant à gommer des causalités, des explications.

Ainsi ai-je caché, au stade du récit où nous étions, que Marco, le garde champêtre, connaissait – non pour l'avoir lu – mais personnellement Frédéric Berthet, dont deux livres avaient été dérobés par Jonas.

Ils s'étaient rencontrés à Chambon-sur-Voueize, département de la Creuse, dans les années 1990. Marco y exécutait les tâches d'une première affectation. « Fred », c'est ainsi qu'on l'appelait, s'y livrait sans vergogne à la pêche à la mouche. Il les fabriquait lui-même, des leurres qui tenaient compte des insectes, de la lumière, de la balle de foin emportée dans l'air – des appâts de poète. Or la truite aime la poésie. « Certains jours, cinquante prises, au moins… Il les relâchait. Après quoi, on allait fêter ça chez lui, rue de la Couture. Quelques années auparavant, il avait épousé Anne Dieumgard, mais leur mariage battait de l'aile. À notre retour, il n'avait qu'à passer un coup de bigo pour qu'une bande de joyeux compagnons nous aident à finir les bouteilles. Ceci expliquait peut-être cela… »

J'ai atténué exprès l'intérêt que Marco portait au cambriolage, comme son enthousiasme lorsqu'il a su que Jonas en était l'auteur. Pour lui, qui vit dans l'empire des signes, le jeune homme n'avait pu être envoyé que par Fred, un clin d'œil de l'au-delà – depuis que l'écrivain s'y était rendu, une nuit de Noël, en 2003.

J'ai glissé là-dessus comme sur d'autres choses. Ces glissements n'ont qu'une excuse : je voulais arriver plus vite à toi et, t'ayant retrouvée, coller ma joue à ton ventre, nouer mes mains dans ton dos, te fixer ainsi que t'immobilise ton public, les enfants.

Un peu plus de deux ans après (ils paraissent quelques jours, tant il est vrai qu'à partir d'un certain âge, ces derniers s'enfuient rapidement), le jaune des mimosas vire au terne tandis que partout autour d'eux, sous les giboulées de mars, s'agitent les premières feuilles vert tendre. Rien n'a changé, ou presque.

Sinon que je me rends dorénavant à bicyclette, l'été, près du rivage, au camping où Marco prend son service, le soir.

Je l'accompagne durant sa première tournée – il en effectuera d'autres dans la nuit. Sa nouveauté sur le terrain ne l'empêche pas d'être déjà membre de nombreuses familles de vacanciers. On l'appelle « tonton » ou « cousin ». Il transmet des messages d'une caravane à l'autre. On l'a vu dénouer calmement des situations difficiles. À l'heure de l'apéro, si nous trinquions, ce serait intenable. Nous sommes fêtés partout à l'eau minérale.

La mairie lui a attribué, pour logement de fonction, un mobil-home sous les pins. Quelques pliants fichés dans le sable, devant, tiennent lieu de terrasse vers l'ouest, d'où nous commentons la variété des nuages, la beauté des soleils couchants. À leurs dernières lueurs, qui coïncident avec des bruits de vaisselle, des personnes de toutes sortes viennent nous rejoindre. Des nymphes. Des sirènes plus âgées, aussi, qui ont accumulé des malheurs et viennent nous les chanter. Certaines, enveloppantes, se glissent sur nos genoux – en toute impunité, au moins pour ma part, car depuis que tu t'en es allée, je n'ai rencontré personne.

Je suis devenu difficile, Lorraine. Je voudrais qu'une femme m'emmène au royaume des contes, tous deux étendus sous les arbres de la forêt profonde. Je voudrais qu'elle ait une présence rassurante, massive, pleine de santé. Je voudrais qu'elle m'embrasse énormément. Avec ton goût d'eau et de sel, comme une vague qui se fracasse entre les rochers.

J'envisage de prendre un emplacement dans ce même camping, en juin prochain. Non pas pour y planter ma tente, mais des tréteaux, un étal de livres sous un parasol de forain, sans doute près de l'accueil, à l'entrée. J'exposerai des Série Noire, des romans sentimentaux parmi lesquels je cacherai, comme autrefois, Shakespeare, Montaigne, Proust, Baudelaire… Cela me rajeunira.

Puisque nous en sommes aux repentirs, je n'aurai pas assez parlé de Gilbert, bouquiniste ambulant à Montreuil, qui ne m'aura pas adressé une phrase durant des années, me laissant pousser, en revanche, à l'ombre de son parasol, sur son stand. Les bandes dessinées, les romans d'aventure, puis les classiques… J'ai été son élève. Or je crois que c'est ce que nous cherchons, la plupart de nous autres, bouquinistes : un élève. Pas trente-six. Un.

Le matin, je continuerai de l'attendre, ce disciple, au magasin. L'après-midi, je tâcherai de le reconnaître au passage, en protégeant mes livres du soleil ou de la pluie.

J'ai reçu la visite de ta mère. Deux fois. Je vends la mèche en écrivant cela, nous étions convenus de ne rien te raconter. Eh bien, qu'elle se débrouille avec toi comme elle pourra… Je compte lui envoyer ce manuscrit afin qu'il te parvienne.

Joëlle, rétablie, n'est plus la même femme. Tu aurais pu me prévenir que la maladie l'avait à ce point transformée. La voilà maintenant considérablement amaigrie, pleine de cheveux, teinte en brune – en un mot, séduisante.

Elle a retrouvé toute son énergie, son ardeur, une sorte de pétulance que je connais puisque c'est également la tienne. Nous avons parlé d'André, ton père.

– Il était ferrailleur, récupérateur de matériaux… Il sillonnait la frontière belge à bord de sa camionnette. Il emmenait souvent Lorraine avec lui lorsqu'elle était petite, elle adorait ça. Elle vous l'a dit ?

– Plus ou moins, oui.

– Et que vous lui ressembliez ?

– …

– Je vais vous montrer.

Elle a sorti son téléphone portable, *switché* quelques pages sur l'écran avant de tomber sur la photo qu'elle cherchait.

– Regardez.

Je n'imaginais pas ton père ainsi. Un type fluet, d'une maigreur d'ouvrier. Derrière lui – tu as treize ou quatorze ans, Joëlle ne se souvient plus exactement –, tu entoures son cou avec tes bras, ta tête blottie entre sa joue et ton épaule. Tout en toi crie à la fois le bonheur d'être dans son dos et la volonté de le protéger. On te comprend : son regard est un des plus nus, des plus démunis, des plus vulnérables qu'il m'ait été donné de voir. Cet homme ne souffre pas que dans sa chair : il a mal aux autres.

– Alors ? m'a demandé ta maman d'un air victorieux, comme si elle détenait la clé de ton attachement à mon égard.

Je me suis dressé devant elle en lui rendant son appareil. Comment cacher mon trouble ?

– À votre tour de regarder, Joëlle. Est-ce que vous trouvez *vraiment* que je lui ressemble ?

Il y avait de la menace dans ma voix.

– Non, a-t-elle été obligée de convenir.

Rassure-toi, excepté cette confidence, elle est presque muette à ton propos. Je ne lui demande rien à ton sujet non plus. Je me dis que si c'était important, si tu étais en danger, ou enceinte, par exemple, je le saurais.

Je ne peux m'empêcher de guetter dans ses expressions, son port de tête, le trompe-l'œil qui, l'espace d'une seconde, va te faire surgir. Je n'allonge pas la liste des traits que je vous découvre en commun, elle t'énerverait. Ce sont certains mots, aussi, que vous utilisez entre vous, mais elle les prononce avec un accent du Nord que tu ne possèdes pas.

Parfois, dans son œil, j'aperçois les étincelles qui jaillissaient en cascade dans les tiens, les paillettes de l'amusement. Nous avons prévu de nous revoir. La générosité étant chez vous une vertu familiale, et les conserves, tu le sais, sa spécialité, j'envisage à ce moment-là d'être gâté, approvisionné. C'est mon placard qui va être content.

Et puis j'ai reçu la visite de Jonas, en octobre dernier. De façon très romantique, il tenait à payer les deux livres empruntés naguère, et qui pesaient maintenant de façon disproportionnée, disait-il, dans sa conscience. Je crois surtout qu'il voulait revoir le coin, le montrer, aussi, à – comment s'appelait-elle ? Une jeune femme l'accompagnait, peut-être mineure. Très belle. Il ne t'a pas évoquée une seule fois. À moi de comprendre que vous ne viviez plus ensemble…

Il a tâché de me convaincre, assez longtemps, de l'imminence du tournage de son prochain film – en tant que réalisateur. Son talent de comédien ne l'aidait qu'à enfiler des costumes de Winnie, de Tigrou ou de Bourriquet pour des spots publicitaires et alimentaires. Sa copine s'ennuyait, ce n'était pas la première fois qu'elle l'entendait parler de son grand projet.

Pour Jean-Louis qui t'apportait des roses, si je n'ai pas cessé d'être un bon à rien – rentrant, d'une certaine façon, dans toutes les catégories de personnes qu'il débine –, je suis devenu énigmatique, j'excite sa curiosité depuis qu'il a rougi de notre liaison. Ou bien il n'a plus peur, malgré les apparences, de me fréquenter. La méfiance envers l'étranger… Tu nous auras, de ce point de vue, rapprochés.

Lui me parle souvent de toi. Tu as même intégré nos quelques sujets de conversation favoris, ceux qui permettent de nous entremettre, bon gré mal gré, sur la lande où nous ne sommes que deux. Je ne réponds pas à toutes ses questions. J'adore voir, quand il les pose, le rêve passer dans ses yeux.

Beau joueur, Jean-Louis m'a invité dans le restaurant où il avait voulu te convier. Rien que de l'évoquer, j'en ai encore l'eau à la bouche. Le dénuement offre bien des avantages, j'en reste convaincu, dont celui d'apprécier le restaurant, s'il est bon, pour ce qu'il a d'unique, d'apprêté, de goûteux, de réservé, de luxueux. Le bûcheron était sincèrement content que je me régale.

Bien sûr, nous avons discuté de toi. Puisque j'avais assisté, moi aussi, à l'un de tes spectacles, nous nous sommes creusés afin de démêler la magie que tu avais opérée en nous, comme si des rêves bloqués au réveil revenaient nous visiter durant le jour. La pesante réalité avait abandonné le secteur. Tu siégeais au milieu, mère dont, par la bouche, découle la compréhension du monde. Jean-Louis aussi, à la fin, voulait poser sa joue contre ton ventre, nouer ses mains dans ton dos. T'empêcher de partir.

Son stock de questions à ton sujet demeure inépuisable, je lui garde en réserve de quoi l'alimenter jusqu'à, je suppose, que la mort nous sépare. Vous autres, baladins, ne vous rendez pas compte des beaux feux que vous faites flamber en province. Vous aurez battu le briquet, et hop ! vous sautez à un autre foyer. Devant la cheminée, depuis votre départ, on ne cesse d'amener du bois, de souffler sur la braise... D'entretenir votre souvenir.

Marco t'avait traitée d'allumeuse. On ne peut lui donner raison qu'en ce sens seulement...

Tu auras marqué la vie de mes voisins, Lorraine, je ne te parle pas de la mienne. Car qu'ai-je choisi de raconter, au moment de prendre le stylo ? Les convulsions d'une époque, la montée des nationalismes après les Trente Glorieuses ? Le marché de Montreuil dans les années 1980 ? Une biographie de Frédéric Berthet ?

On écrit après des millions de livres, des milliers sont passés sous mes mains, je ne crois pas avoir vu un portrait de toi, la voyageuse, bien complet du coup de lune – plutôt qu'un coup de foudre – pris sur la tête lorsque je t'ai serré la main pour la première fois, en apprenant ton prénom… « Il n'y a de connaissance que fulgurante. Le texte est le grondement qui fait entendre son tonnerre longtemps après. » Walter Benjamin.

*

Je me demande chaque jour ton emploi du temps. Il serait facile de me renseigner, je n'aurais qu'à taper « Lorraine conteuse » dans un moteur de recherche, chez Marco par exemple… Je pourrais questionner ta mère, il n'est pas sûr qu'elle parviendra toujours à garder le silence… Je préfère t'imaginer, roulant de ville en ville afin d'assurer tes représentations, ou bien t'enfermant pour en concevoir de prochaines.

Tu as dû acquérir un autre véhicule. Un autre Kangoo, avec Martin-le-mannequin derrière ? C'est ainsi que je te visualise – j'ai été trop de fois ton passager – ou que je me projette, assis à côté de toi tandis que tu mènes ta vie, ma présence n'y change rien, il est seulement bon, quand tu y songes, de m'avoir sous la main. Je reste dans la voiture, je t'attends.

À travers le pare-brise, je te regarde voguer vers des rendez-vous, agiter des sonnettes. Tandis que tu répètes dans la salle de spectacles, je vais à pied reconnaître le quartier, trouver une épicerie et de quoi nous alimenter. Le soir, dans l'hôtel ou la chambre d'hôtes, tandis que tu gis sur le lit, écrasée de fatigue, je te masse longuement le dos…

Nous aurons vécu des moments que tu n'as pas pu oublier. Je parie, comme pour moi, qu'ils ne cesseront pas de traverser ta mémoire. Je pense à cette forêt dans laquelle nous avions marché l'un derrière l'autre, respirant avidement nos sueurs. Je pense à ces après-midi où tu me disais tout de toi, y compris la stupéfaction de n'avoir, jusque-là, jamais osé raconter cela, à personne.

Tu t'allongeais contre moi, nue ou habillée, on s'en moque, pour lire à voix haute des poèmes. Ou bien je te servais de première oreille, s'il s'agissait d'éprouver un nouveau conte. Tu m'invitais, seul spectateur, dans le théâtre de tes pensées en direct, énoncées sitôt conçues, pures ou impures, aucune crainte d'être jugée… As-tu retrouvé, depuis, semblable qualité d'écoute ? Je l'espère pour toi.

Reviens quand tu veux.

DU MÊME AUTEUR

Nouvelles du Nord
Le Dilettante, 1984

Manfred ou l'Hésitation
Seuil, 1985

La Chinoise
Le Dilettante, 1987

Duo forte
Grasset, 1989
et « J'ai lu », n° 5934

Les Petits Bleus
Le Dilettante, 1990

L'Ange de Bénarès
Flammarion, 1993

La Belle Jardinière
Le Dilettante, 1994

Bruits de cœurs
Les Silènes, 1994

L'Homme de chevet
Flammarion, 1995 et 2009
et « J'ai lu », n° 4575

La Tolérance
(dessins de Jean-Marie Queneau et Claude Stassart-Springer)
La Goulotte, 1995

Deux Poèmes
(dessins de Jean-Marie Queneau et Claude Stassart-Springer)
La Goulotte, 1996

En compagnie des femmes
Le Dilettante, 1996

Mademoiselle Chambon
Flammarion, 1996 et 2009
« J'ai lu », n° 4876
et Flammarion « GF Étonnants classiques », n° 2153

Jours en douce
Flohic, 1997

On dirait une actrice
« Librio », n° 183

Nouvelles du Nord et d'ailleurs
Le Dilettante, 1998

Bienvenue parmi nous
Flammarion, 1998
et « J'ai lu », n° 5592

Les Cabanes
(dessins de Jean-Marie Queneau et Claude Stassart-Springer)
La Goulotte, 2000

La Correspondante
Flammarion, 2000
et « J'ai lu », n° 6191

Masculins singuliers
Le Dilettante, 2001

Hongroise
Flammarion, 2002
et « J'ai lu », n° 7301

L'Histoire de Chirac
Flammarion, 2003
et « J'ai lu », n° 7729

Les Sentiers délicats
Le Dilettante, 2005

De loin on dirait une île
Le Dilettante, 2008

Bella Ciao
Seuil, 2009
et « Points », n° P2468

Embrasez-moi
Le Dilettante, 2011
et « J'ai lu », n° 10208

L'Alphabet des oiseaux
(dessins de Nathalie Azémar)
Delphine Montalant, 2012

La Saison des Bijoux
Seuil, 2015
et « Points », n° P4455

RÉALISATION : NORD COMPO À VILLENEUVE-D'ASCQ
IMPRESSION : CPI FRANCE
DÉPÔT LÉGAL : FÉVRIER 2019. N° 140913-3 (2066415)
IMPRIMÉ EN FRANCE